Nadège Fortuné

Les cuisines

de

Provence

Éditions Campanile
Groupe Forum Éditions

INTRODUCTION

Aux portes de la Méditerranée et de l'Italie, la Provence est l'une des régions les plus touristiques de France. Reflet d'un pays avenant et sauvage, lumineux et divers, le style provençal qui se reconnaît dans tout son artisanat est à la fois chaleureux et simple, rustique et élégant. On retrouve ces traits dans les verres soufflés de Biot (Alpes-Maritimes), dans les tissus à impressions de fruits et de fleurs reprises sur des motifs datant du XVIIIe ou XIXe siècle, dans les faïences fabriquées à la main dans bon nombre de petites villes de la région : Moustiers, Apt, Saint-Jean-du-Désert... En Haute-Provence, on fabrique toujours des bahuts et des coffres en mélèze sur des modèles issus de la Renaissance. Dans la Provence Rhodanienne, le style de référence est le meuble d'Arles, d'inspiration Régence. On comprend alors pourquoi la cuisine de Provence puise ses saveurs dans la tradition et la culture de ses habitants.

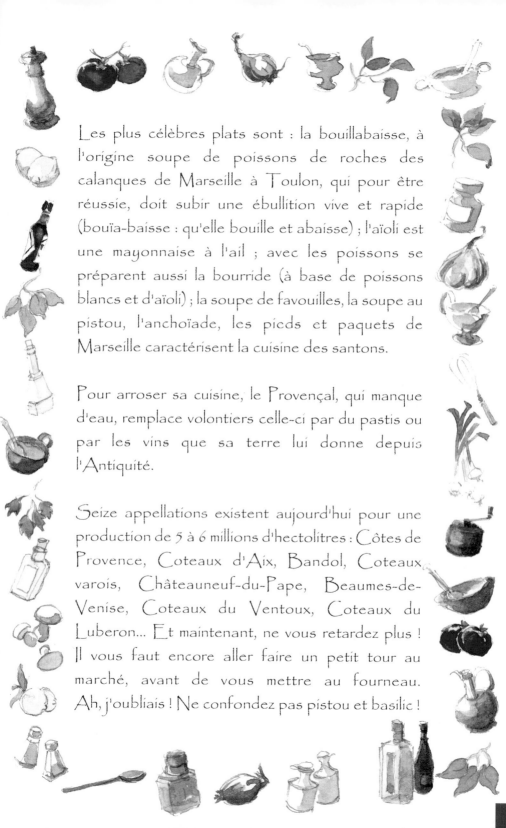

Les plus célèbres plats sont : la bouillabaisse, à l'origine soupe de poissons de roches des calanques de Marseille à Toulon, qui pour être réussie, doit subir une ébullition vive et rapide (bouïa-baisse : qu'elle bouille et abaisse) ; l'aïoli est une mayonnaise à l'ail ; avec les poissons se préparent aussi la bourride (à base de poissons blancs et d'aïoli) ; la soupe de favouilles, la soupe au pistou, l'anchoïade, les pieds et paquets de Marseille caractérisent la cuisine des santons.

Pour arroser sa cuisine, le Provençal, qui manque d'eau, remplace volontiers celle-ci par du pastis ou par les vins que sa terre lui donne depuis l'Antiquité.

Seize appellations existent aujourd'hui pour une production de 5 à 6 millions d'hectolitres : Côtes de Provence, Coteaux d'Aix, Bandol, Coteaux varois, Châteauneuf-du-Pape, Beaumes-de-Venise, Coteaux du Ventoux, Coteaux du Luberon... Et maintenant, ne vous retardez plus ! Il vous faut encore aller faire un petit tour au marché, avant de vous mettre au fourneau. Ah, j'oubliais ! Ne confondez pas pistou et basilic !

Les sauces

Purée d'ail

Préparation : 30 mn
Pour 4 personnes : 4 têtes d'ail, 4 anchois.

Faire cuire les têtes d'ail, si possible dans la braise, les éplucher et faire une pâte fine avec les anchois. On peut ensuite y ajouter le jus d'un demi citron ou délayer un peu de la sauce du gigot.

C'est la moutarde provençale. Elle convient aux gigots de mouton et d'agneau rôtis.

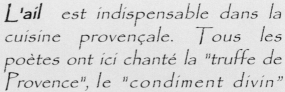

L'ail est indispensable dans la cuisine provençale. Tous les poètes ont ici chanté la "truffe de Provence", le "condiment divin" ou cet "ami de l'homme". Une pointe d'ail désigne la quantité que l'on peut mettre sur la pointe d'un couteau. L'ail provençal est plus doux que celui récolté dans les autres régions.

Aïoli

Préparation : 25 mn
Pour 4 personnes :   1 jaune d'œuf, 1/2 litre d'huile d'olive,
6 gousses d'ail, sel.

Piler l'ail dans un mortier pour obtenir une pâte fine ;
ajouter une pincée de sel et le jaune d'œuf ; verser
lentement l'huile sur le jaune, et de temps en temps
quelques gouttes d'eau. La sauce doit être bien
ferme. Si la pâte vient à se décomposer, on peut la
reprendre avec un jaune d'œuf sur lequel on verse
par petites quantités l'aïoli raté ! Servir frais.

*Comparant la mayonnaise septentrionale à l'aïoli, Mistral
la traitait dédaigneusement de marmelade. En Provence,
l'aïoli est avant tout un rituel permettant de faire la fête entre
amis. Ce peut être un plat de résistance complet ou une
sauce d'accompagnement pour les hors-d'œuvre, les légumes
bouillis, les œufs durs, la morue, les escargots...*

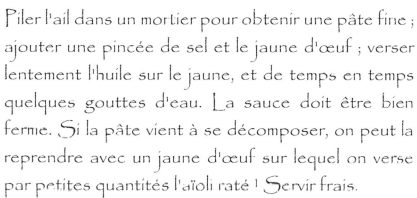

Anchoïade

Préparation : 15 mn

Pour 4 personnes : 16 anchois dessalés et sans l'arête centrale, 1 grand verre d'huile d'olive, 4 gousses d'ail hachées, poivre.

Mélanger dans un mortier les gousses d'ail et les filets d'anchois. Verser l'huile en remuant la pâte et ajouter une forte pincée de poivre.

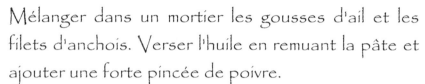

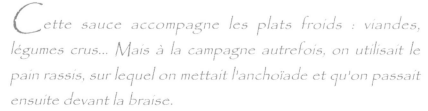

Cette sauce accompagne les plats froids : viandes, légumes crus... Mais à la campagne autrefois, on utilisait le pain rassis, sur lequel on mettait l'anchoïade et qu'on passait ensuite devant la braise.

Rouille

Préparation : 20 mn

Pour 4 personnes : 2 gousses d'ail, 1 jaune d'œuf, 1 verre
d'huile d'olive, 1 foie de poisson (facultatif), 1 verre de lait,
2 petits piments rouges, poivre, sel, safran.

Dans un mortier, piler l'ail épluché et les piments
avec une pincée de sel. Ajouter le foie, le jaune
d'œuf, le lait et le poivre. Tourner en mettant l'huile
doucement, et rajouter une pincée de safran.

*Cette sauce est obligatoire pour la soupe de poissons ou
la bouillabaisse. On la fait plus ou moins forte suivant les
goûts, en modérant ou non l'emploi des piments.*

Beurre d'anchois

Préparation : 20 mn (cuisson : 10 mn)
Pour 4 personnes :   8 anchois dessalés
et sans l'arête centrale, 100 g de beurre,
1 grande cuillerée de farine, poivre.

Piler les anchois dans un mortier et les écraser avec 50 g de beurre. A feu doux, faire fondre 50 g de beurre en incorporant la farine doucement ; en remuant, rajouter le beurre d'anchois et une pincée de poivre.

Sauce tomate

Préparation : 1 h (cuisson : 40 mn)

Pour 4 personnes : 1 kg de tomates bien mûres, 1 oignon, 2 gousses d'ail, 1 verre d'huile d'olive, 1/2 morceau de sucre pour enlever l'acidité, persil, thym, laurier, basilic, sauge, sel, poivre.

Éplucher, enlever le jus et les pépins des tomates, puis les couper en morceaux. Hacher finement l'oignon et l'ail que l'on fait revenir dans l'huile ou dans un peu d'eau. Ajouter les morceaux de tomates et faire cuire à petit feu ; incorporer les autres ingrédients. Si l'on a fait cuire à l'eau, on ajoute l'huile d'olive au moment de servir.

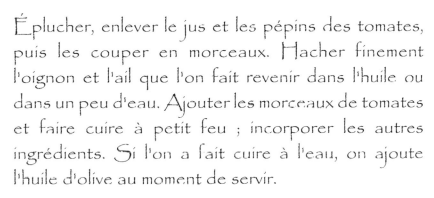

Sauce tomate marseillaise

Préparation : 1 h (cuisson : 30 mn)

Pour 4 personnes :   300 g de viande hachée de bœuf, 1 kg de tomates, 2 oignons hachés, 4 gousses d'ail hachées, 1 verre d'huile d'olive, 1 verre de vin rouge, laurier, thym, sel, poivre.

Préparer une fondue de tomates. Faire revenir les oignons et l'ail doucement dans une casserole avec l'huile ; ajouter la viande en l'émiettant, puis les tomates, le vin rouge et les aromates. Saler, poivrer. Après 30 mn, quand tout est bien homogène, enlever les herbes et mixer le tout plus ou moins grossièrement suivant les goûts.

Bagna caudà (sauce chaude)

Préparation : 25 mn (cuisson : 10 mn)

Pour 4 personnes : 2 grandes cuillerées de purée d'anchois, 2 gousses d'ail, 1 verre d'huile d'olive, beurre, poivre.

Dans un poêlon, faire revenir (sans roussir) l'ail haché dans l'huile d'olive. Hors du feu, rajouter les anchois, un peu de beurre et de poivre. Bien remuer.

Sauce basilic

Préparation : 10 mn

Pour 4 personnes : 4 gousses d'ail, 1 tomate, 1 pied de basilic effeuillé, 1 verre d'huile d'olive, sel, poivre.

Piler l'ail et le basilic au mortier ; ajouter la tomate pelée et épépinée. Mixer tous les ingrédients.

Cette sauce convient pour les poissons et les légumes.

Le basilic : cette herbe très odorante et douce, à petites ou grandes feuilles, se vend l'été en petits pots. Très bonne pour les préparations de tomates et de salades ou dans les pâtes, elle est obligatoire dans la soupe au pistou. Le pistou est le nom de la sauce, et non de la plante.

Raïto

Préparation : 35 mn (cuisson : 15 mn)

Pour 4 personnes : 2 oignons hachés, 1/2 litre de bouillon de poulet, 2 verres de vin rouge, 1 cuillerée à soupe de farine, 2 gousses d'ail hachées, 1 bouquet garni, 2 cuillerées de coulis de tomates, 1 grande cuillerée de câpres, huile d'olive, sel, poivre, 10 olives noires.

Dans une casserole, faire revenir les oignons dans de l'huile et un verre de bouillon de poulet. Saupoudrer de farine quand les oignons sont transparents ; verser le reste de bouillon et le vin, puis les autres ingrédients. Faire réduire de moitié et ajouter alors câpres et olives.

Pour accompagner la morue ou autres poissons cuits au court-bouillon.

Abbaye de Sénanque

Entrées

et

apéritifs garnis

Tapenade

Préparation : 35 mn

Pour 4 personnes : 100 g de thon blanc mariné, 12 anchois dessalés en filets, 250 g d'olives noires dénoyautées, 250 g de câpres, 2 verres d'huile d'olive, 1 cuillerée de moutarde, 1 gousse d'ail, thym, laurier, poivre, sel.

Dans un mortier, écraser les olives, les anchois, le thon, les câpres et l'ail. Poivrer, saler et incorporer la moutarde, les herbes et l'huile d'olive. Travailler longuement au fouet pour obtenir une pâte lisse.
Servir sur des tranches de pain grillé ou sur des rondelles de concombres.

Saussoun de Grasse

Préparation : 15 mn

Pour 4 personnes : 150 g d'amandes douces, 3 anchois dessalés en filets, 1 cuillerée d'eau, 2 cuillerées d'huile d'olive, 1 brin de fenouil, 2 feuilles de menthe.

Émonder les amandes et enlever la peau en les plongeant dans l'eau bouillante. Dans un mortier, piler les amandes, les anchois, le fenouil et la menthe. Ajouter l'huile d'olive et l'eau ; mélanger pour obtenir une sauce épaisse. Servir sur des tranches de pain.

> **La menthe** s'utilise aussi sur les tomates ou dans les salades vertes.

Pissaladière

Préparation : 1 h
(cuisson : 20 mn + 30 mn)
Pour 4 personnes : 125 g de farine, 60 g de margarine, 6 oignons hachés, 4 filets d'anchois, 1 verre d'huile d'olive, 15 olives noires, eau, sel.

Mélanger la margarine avec la farine et le sel pour obtenir une consistance légère ; ajouter assez d'eau pour avoir une pâte ferme mais élastique. Rouler la pâte et étaler sur un plat à tarte huilé ; piquer avec une fourchette. Faire revenir les oignons dans l'huile sans roussir pendant 20 mn. Étaler les oignons sur la pâte et ajouter les anchois. Faire cuire pendant 30 mn et disposer les olives en garniture.

Feuilleté d'anchois

Préparation : 1 h (cuisson : 25 mn)
Pour 4 personnes : 300 g de pâte feuilletée, 13 anchois
dessalés et sans l'arête centrale, 50 g de beurre, 3 oeufs,
1/2 verre de lait, 2 cuillerées de farine.

A feu doux, faire fondre le beurre, saupoudrer de
farine et mélanger sans cesse. Verser très lentement
le lait en poursuivant la cuisson quelques minutes.
Hors du feu, ajouter deux jaunes d'oeufs et 5 filets
d'anchois écrasés ; laisser refroidir.

Étaler la pâte feuilletée et la couper en
16 rectangles. Poser sur la moitié des rectangles une
cuillerée de sauce et un filet d'anchois ; recouvrir
avec un rectangle sec et souder en humectant.
Dorer le dessus des feuilletés avec le dernier oeuf
battu et faire cuire 25 mn à feu chaud.

Socca

Préparation : 35 mn (cuisson : 10 mn)
Pour 4 personnes : 250 g de farine de pois chiches, 1/2 verre
d'huile d'olive, sel.

Saler un litre d'eau froide et délayer la farine.
Ajouter l'huile d'olive et faire cuire à feu doux
jusqu'à l'épaissir. Verser sur une plaque à pâtisserie
huilée et faire cuire 10 mn à four chaud.

Panisses

Préparation : 20 mn (cuisson : 5 mn)
Pour 4 personnes : 150 g de farine
de pois chiches, 75 cl de lait, 50 g de
beurre, 1 verre d'huile d'olive, sel,
poivre.

Faire fondre 30 g de beurre dans une casserole,
verser le lait et laisser bouillir. Tout en remuant,
saupoudrer la farine et faire cuire 5 mn pour épaissir.
Saler, poivrer. Verser dans des soucoupes beurrées
et laisser refroidir. Faire chauffer l'huile et dorer les
panisses avant de servir.

Courgettes aux câpres

Préparation : 20 mn

Pour 4 personnes : 3 petites courgettes de Provence, 2 oeufs durs, 2 cuillerées de câpres, 1 jus de citron, huile d'olive, sel, poivre.

Plonger les courgettes 5 mn dans l'eau bouillante sans les éplucher. Couper en deux et remplacer les graines par les oeufs durs écrasés ; arroser avec l'huile d'olive et le jus de citron. Saler, poivrer et disposer les câpres. Servir froid.

Salade niçoise

Préparation : 20 mn

Pour 4 personnes : 6 tomates, 1 concombre, 150 g de
févettes, 2 petits artichauts, 1 poivron vert, 3 petits oignons
frais, 1 pied de basilic, 1 gousse d'ail, 3 œufs durs, 8 filets
d'anchois, 100 g de thon en miettes, 25 olives noires de Nice,
huile d'olive, sel, poivre, vinaigre.

Couper les tomates en quartiers et les saler, le
concombre épluché en tranches, les œufs en
rondelles. Détailler les filets d'anchois en plusieurs
morceaux et émincer le poivron en anneaux fins ; faire
de même pour les oignons, les févettes et
les artichauts. Frotter les parois d'un
saladier avec l'ail coupé
en deux et verser tous les
ingrédients à l'exception
des tomates. Faire une
sauce avec 6 cuillerées
d'huile d'olive, 1 cuillerée
de vinaigre, le basilic
finement haché, le poivre
et le sel.

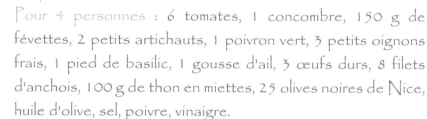

Salade de morue au basilic

Préparation : 30 mn

Pour 4 personnes : 300 g de filets de morue, 4 pommes de terre, 2 tomates, 50 g d'olives noires, 10 feuilles de basilic, 2 œufs durs, 1 filet de vinaigre, 6 cuillerées d'huile d'olive, sel, poivre.

Laisser dessaler la morue pendant 12 heures, en changeant l'eau fréquemment. La faire pocher pendant 10 mn, égoutter et laisser refroidir. Faire cuire les pommes de terre à l'eau salée. Les éplucher et les couper en dés. Émietter la morue ; mélanger les pommes de terre avec le poisson, les tomates coupées en rondelles, les olives noires. Hacher le basilic avec les œufs durs ; ajouter l'huile, le vinaigre, sel et poivre. Napper la salade de cette sauce et décorer le plat avec les feuilles de basilic.

Salade de moules camarguaise

Préparation : 35 mn

Pour 4 personnes : 2 kg de moules, 1 kg de pommes de terre, 2 cuillerées de vinaigre de citron, 1 petit bol d'aïoli, 1 capsule de safran, thym, laurier.

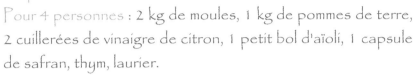

Ouvrir les moules dans une casserole sur feu vif et les retirer de leurs coquilles. Faire cuire les pommes de terre dans leur pelure à l'eau bouillante salée, avec du thym et du laurier. Les éplucher et les couper en rondelles ; les arroser aussitôt de vinaigrette et laisser refroidir. Mélanger moules et pommes de terre ; ajouter le safran à l'aïoli et assaisonner la salade.

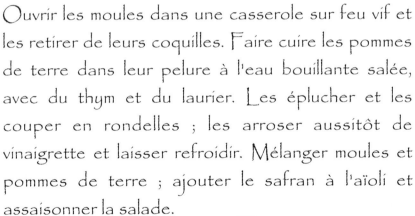

Salade aux truffes d'Aups

Préparation : 25 mn

Pour 4 personnes : 400 g de poulet cuit, 6 fonds d'artichauts, 4 pommes de terre cuites, 1 petite boîte de foie gras, 3 truffes, jus de truffes, 125 g de crème fraîche, jus d'1/2 citron, 4 feuilles de laitue, sel, poivre.

Émietter le poulet, couper les fonds d'artichauts en languettes et les pommes de terre en petits dés. Émincer 2 truffes en lamelles ; mélanger les ingrédients. Tapisser un saladier de laitue et disposer le mélange en un dôme au centre. Préparer la sauce : écraser le foie gras avec le jus de truffes et délayer avec la crème fraîche.

Ajouter une truffe hachée très fin ; saler, poivrer et arroser de jus de citron. Verser sur la salade et servir très frais.

Salade de fèves
à la menthe

Préparation : 25 mn

Pour 4 personnes : 1,5 kg de fèves, 2 cébettes ou oignons blancs, 1 œuf dur, 1 verre d'huile d'olive, 1 cuillerée de vinaigre d'estragon, feuilles de menthe fraîche, 1 branche de sarriette, sel, poivre.

Porter à ébullition de l'eau salée avec la branche de sarriette. Faire blanchir les fèves écossées, dont on aura ôté la peau dure. Égoutter et mettre les fèves dans un saladier, verser dessus une vinaigrette et remuer. Couper les cébettes et les feuilles de menthe en petits morceaux, et les ajouter à la salade ; émietter l'œuf dur pour décorer et servir frais.

La sarriette (ou pébréd'aï) est utilisée pour les gibiers, les civets, les crudités mais elle convient aussi dans les sauces, les farcis, les potages, les viandes et les grillades.

Salade de poulpes à la toulonnaise

Préparation : 40 mn
Pour 4 personnes : 1,5 kg de poulpes (ou seiches, encornets), 4 citrons, 250 g de riz, 3 tomates, 1g de safran, huile d'olive, poivre.

Nettoyer et couper les poulpes en morceaux ; les mettre dans une poêle, couvrir et leur faire rendre leur eau pendant 1 /4 h. Lorsque le jus rouge recouvre totalement la chair du poisson, ralentir le feu, rajouter le safran et laisser réduire jusqu'à totale évaporation du jus. Verser une rasade d'huile et donner un bref tour de friture au poisson. Retirer du feu, arroser du jus des citrons, poivrer et laisser refroidir. Il se forme alors une fine gelée rosée transparente. Faire cuire le riz et laisser refroidir ; ajouter un filet d'huile d'olive et écraser les tomates fraîches épépinées et pelées. Servir les deux plats non mélangés.

Tourton du Ventoux

Préparation : 30 mn (cuisson 7 mn)

Pour 4 personnes : 2 oignons frais ou échalotes, 1/2 gousse d'ail, 700 g de feuilles de blettes, 4 cuillerées de pignons, 4 cuillerées de ciboulette hachée menue, 1 cuillerée de menthe fraîche ou basilic haché, 3 œufs, 3 cuillerées de crème fraîche épaisse, 125 g de fromage de chèvre râpé, huile d'olive, sel, poivre.

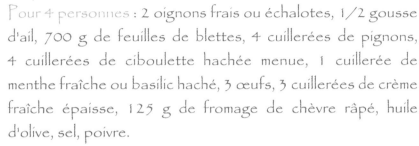

Faire cuire les oignons hachés avec l'ail dans l'huile jusqu'à ce qu'ils soient tendres. Faire blanchir les blettes, les égoutter et les hacher. Mélanger tous les ingrédients, sauf la crème, les œufs et le fromage ; verser dans une grande poêle huilée. Faire cuire à feu vif 3 mn environ (les herbes sont molles et encore vertes), retirer du feu et égoutter. Battre ensemble les œufs, la crème et le fromage ; lier le tout à la première préparation. Placer ce mélange au four à feu moyen dans un poêlon beurré et huilé, en lui donnant une forme ronde (diamètre 10 cm, épaisseur 2 cm). Après 4 mn environ, couvrir le poêlon avec un plat, renverser le tourton et le glisser à nouveau dans le poêlon pour faire dorer l'autre côté. Servir sur un plat chaud avec du coulis de tomates ou arrosé d'un filet d'huile d'olive et de citron.

Tarte à la tomate

Préparation : 40 mn (cuisson : 25 mn)
Pour 4 personnes : pâte brisée,
4 tomates, 4 œufs, 200 g de crème
fraîche, sel, poivre.

Battre les œufs avec la crème fraîche, le sel et le
poivre. Placer les tomates au naturel, égouttées, sur
le fond de la tarte ; remplir de crème aux œufs et
mettre au four chaud pendant 25 mn.

Tourte de Carpentras

Préparation : 10 mn (cuisson 30 mn)
Pour 4 personnes : 400 g de pâte feuilletée, 400 g
d'asperges, 4 œufs, 50 g de beurre, 25 cl de crème fraîche,
sel, poivre.

Faire blanchir 5 mn les pointes d'asperges ; les mettre
dans une poêle ; rissoler dans le beurre fondu
environ 2 mn. Battre ensemble les œufs, la crème
fraîche le sel et le poivre. Étaler la pâte sur un moule
et le garnir avec les asperges ; verser dessus la
préparation et mettre dans le four chaud
pendant 25 mn.

Tourte de Haute-Provence

Préparation : 45 mn (cuisson : 25 mn)
Pour 4 personnes : 400 g de farine, 1 verre
d'eau, 2 kg de blettes, orties, pissenlit,
épinards, 3 œufs, 150 g de fromage râpé,
250 g de fromage de chèvre frais (brous),
1 verre de lait, huile d'olive, sel, poivre.

Préparer une pâte souple avec la farine, l'eau, le sel
et une cuillerée d'huile d'olive ; la laisser reposer
1/4h. Couper les herbes crues très fin, les saler
légèrement, les faire dégorger et les égoutter.
Y incorporer 2 œufs, le lait, le fromage râpé, le
brous, un peu d'huile, le sel et le poivre.

Etaler la pâte au rouleau en gardant une partie pour
couvrir la tourte. Disposer la pâte dans un moule et
remplir avec la farce. Couvrir et souder les deux
pâtes en humectant avec un peu d'eau. Faire dorer le
dessus avec un œuf battu et faire cuire à four chaud
pendant 25 mn.

Pâte à pizza

Préparation : 15 mn et repos : 3 h
Pour 4 personnes : 300 g de farine, 20 g de levure de boulanger, 1 verre d'eau tiède, 1 pincée de sel, 1 filet d'huile d'olive.

Emietter la levure dans un bol et la délayer avec la moitié de l'eau tiède en mélangeant bien. Faire une fontaine avec la farine et y mettre le sel et la levure ; travailler à la fourchette en ramenant la farine dans le creux et délayer peu à peu avec le reste de

l'eau et l'huile d'olive. Pétrir ensuite la pâte avec les mains jusqu'à ce qu'elle soit ferme et élastique. La rouler en boule, la disposer dans une terrine, inciser la surface en croix et laisser reposer 3 h sous un torchon dans un endroit tiède. Retravailler la pâte rapidement avant de l'étendre.

Tarte aux courgettes

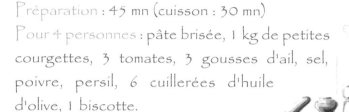

Préparation : 45 mn (cuisson : 30 mn)
Pour 4 personnes : pâte brisée, 1 kg de petites courgettes, 3 tomates, 3 gousses d'ail, sel, poivre, persil, 6 cuillerées d'huile d'olive, 1 biscotte.

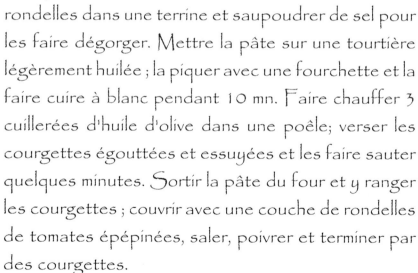

Couper les courgettes en rondelles dans une terrine et saupoudrer de sel pour les faire dégorger. Mettre la pâte sur une tourtière légèrement huilée ; la piquer avec une fourchette et la faire cuire à blanc pendant 10 mn. Faire chauffer 3 cuillerées d'huile d'olive dans une poêle; verser les courgettes égouttées et essuyées et les faire sauter quelques minutes. Sortir la pâte du four et y ranger les courgettes ; couvrir avec une couche de rondelles de tomates épépinées, saler, poivrer et terminer par des courgettes.

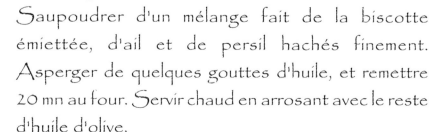

Saupoudrer d'un mélange fait de la biscotte émiettée, d'ail et de persil hachés finement. Asperger de quelques gouttes d'huile, et remettre 20 mn au four. Servir chaud en arrosant avec le reste d'huile d'olive.

Quiche à la provençale

Préparation : 1 h (cuisson : 55 mn)
Pour 6 personnes : 400 g de pâte brisée, 3 tomates, 4 gousses d'ail, 3 gros oignons émincés, 1 bouquet garni, 2 œufs, 125 g de crème fraîche, sel, poivre.

Peler les tomates, les couper en quatre et les épépiner. Dans une casserole, mettre l'ail, les tomates, les oignons et le bouquet garni. Saler et poivrer. Couvrir et faire cuire sur feu doux pendant 30 mn, en remuant de temps en temps. Retirer du feu et laisser tiédir. Dans un bol, battre œufs et crème ; les incorporer dans la casserole de fondue de tomates, pas trop chaude ; goûter et rectifier l'assaisonnement au besoin.

Étaler la pâte brisée au rouleau ; beurrer un moule à tarte et le garnir avec la pâte ; verser la garniture de tomates et faire cuire à feu chaud pendant 25 mn.

Cônes arlésiens

Préparation : 15 mn
Pour 4 personnes : 4 tranches
de jambon cru, 12 figues.

Rouler les tranches de façon à former des cônes et les garnir avec 4 figues bien mûres fendues en quatre pour former des fleurs. Les disposer sur un plat et décorer avec les autres figues. Servir frais.

Févettes au jambon cru

Préparation : 15 mn
Pour 4 personnes : 4 tranches de jambon cru, petites fèves fraîches, cébettes, persil, huile d'olive.

Faire des petits rouleaux de jambon et y mettre au centre les petites fèves arrosées d'un filet d'huile d'olive, et saupoudrées d'un hachis très fin de cébettes et de persil.

Sardines farcies de Sanary

Préparation : 45 mn (cuisson : 10 mn)
Pour 6 personnes : 24 sardines, 500 g de moules, 1 botte de blettes, 1 gousse d'ail, 2 œufs, 1 branche de céleri, huile d'olive, sel, poivre, chapelure.

Vider les sardines et leur enlever têtes et queues. Débarrasser les blettes de leurs côtes et les faire cuire dans une casserole avec un peu d'huile, la gousse d'ail, et une pointe de sel, jusqu'à évaporation de l'eau rendue. Faire ouvrir les moules vivement dans une casserole avec le céleri et les sortir de leurs coquilles. Mélanger les moules, les blettes et les œufs entiers battus. Saler et poivrer. Poser les sardines ouvertes, les farcir avec le mélange et les refermer. Placer le reste de la farce dans un plat à gratin huilé et ranger les sardines farcies dessus ; saupoudrer de chapelure et arroser d'un filet d'huile d'olive. Faire gratiner à four très chaud pendant 5 à 10 mn.

Anchois farcis

Même recette que la précédente. Au lieu de saler la farce, mettre une pointe de beurre d'anchois.

Tomates au thon

Préparation : 40 mn
Pour 6 personnes : 6 tomates, 3 œufs durs, 2 filets d'anchois, 125 g de thon, 1 verre de câpres.

Couper les tomates, les vider. Piler dans un mortier la chair des tomates, les œufs, les filets d'anchois et la moitié des câpres ; mélanger le thon à la purée obtenue. Garnir les tomates et décorer avec des câpres.

Truffes de Vérignon

Préparation : 1 h
Pour 4 personnes : 8 truffes nettoyées, 1 kg de pâte à pain, beurre sans sel, gros sel.

Préchauffer le four. Étendre la pâte et rouler chaque truffe dedans ; faire cuire jusqu'à ce que celle-ci ait gonflé et soit dorée. Ouvrir au moment de servir. Ajouter beurre et sel selon les goûts.

Canapés marseillaise

Préparation : 30 mn

Faire des canapés avec des tranches de pain rassis et étendre sur la surface une purée d'anchois. Passer au four.

Brandade du Lavandou

Préparation : 1 h
Pour 6 personnes : 12 petits artichauts, 2 poireaux finement hachés, 350 g de haricots blancs, huile d'olive, sel, poivre, 3 gousses d'ail hachées, thym, laurier, sarriette, 1 citron, 1 pincée de cannelle, 35 cl de vin blanc de Provence, 10 cl de lait, croûtons de pain.

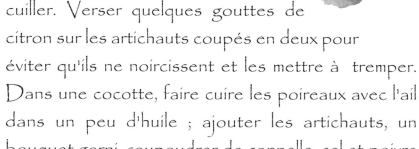

Mettre les haricots à tremper une nuit, les rincer et écarter les peaux. Ôter les queues des artichauts, les feuilles dures, les couper sur 2 cm en travers et enlever le foin avec une cuiller. Verser quelques gouttes de citron sur les artichauts coupés en deux pour éviter qu'ils ne noircissent et les mettre à tremper. Dans une cocotte, faire cuire les poireaux avec l'ail dans un peu d'huile ; ajouter les artichauts, un bouquet garni, saupoudrer de cannelle, sel et poivre et de l'huile d'olive.

Verser le vin et compléter avec de l'eau pour couvrir ; porter à ébullition, couvrir et laisser mijoter 25 mn. Sortir les artichauts quand ils sont cuits,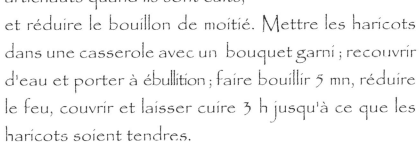

et réduire le bouillon de moitié. Mettre les haricots dans une casserole avec un bouquet garni ; recouvrir d'eau et porter à ébullition ; faire bouillir 5 mn, réduire le feu, couvrir et laisser cuire 3 h jusqu'à ce que les haricots soient tendres.

Passer au mixer, ajouter l'ail, 20 cl d'huile d'olive et battre sur feu doux. Ajouter un filet de lait chaud. Ajouter le jus d'un citron, saler et poivrer. Verser la brandade dans un grand plat et parsemer de croûtons. Disposer les artichauts et arroser avec le bouillon passé.

 Le bouquet garni provençal se compose d'une feuille de laurier, deux ou trois branches de persil et un brin de thym. On peut y ajouter un peu de marjolaine et de romarin. On le retire en fin de cuisson des ragoûts, des poissons et des soupes.

Les soupes

Soupe au pistou du Luberon

Préparation : 1 h 30 (cuisson : 40 mn environ)
Pour 8 personnes : 500 g de haricots blancs, 1 bouquet garni, 250 g de haricots verts, 2 courgettes, 2 carottes, 2 navets, 2 tomates, 200 g de vermicelle fin, 5 gousses d'ail, 4 cuillerées à soupe de basilic frais, huile d'olive, parmesan râpé, sel et poivre noir.

Mettre les haricots blancs à tremper une la nuit. Les égoutter, les mettre dans une marmite avec 2,5 l d'eau froide. Saler et ajouter le bouquet garni. Porter à ébullition et laisser cuire doucement pendant 1 h 30. Couper les courgettes en rondelles pas trop fines. Tailler les carottes et les navets, en dés réguliers. Après cuisson des haricots blancs, ajouter les carottes et les navets. Laisser cuire 20 mn de plus, ajouter les haricots verts et les courgettes, faire cuire encore 10 mn. Ebouillanter les tomates et les couper en quartiers, les ajouter enfin dans la marmite avec les vermicelles. Après 10 mn, retirer du feu.

Piler les gousses d'ail pelées et les feuilles de basilic dans un mortier. Lorsque le mélange est pâteux, verser 4 cuillerées d'huile d'olive en remuant vivement avec une fourchette. Ajouter 2 cuillerées de parmesan. Incorporer la sauce au basilic à la soupe en remuant.

Aïgo boulido

Pour 4 personnes : 2 l d'eau, 2 têtes d'ail, 1 bouquet de sauge, 5 cl d'huile d'olive, 2 cuillerées à café de sel, poivre, 8 tranches de pain grillé.

Faire bouillir 2 litres d'eau avec le sel et les 2 têtes d'ail pendant 8 minutes ; réserver 3 gousses d'ail pour frotter le pain grillé. Ajouter la sauge et couvrir. Laisser infuser 10 minutes. Frotter les tranches de pain grillé avec les gousses d'ail. Dans chaque assiette, disposer 2 tranches de pain et verser le bouillon dessus après avoir retiré le bouquet de sauge. Rectifier l'assaisonnement.

> **La sauge** sèche perd son amertume. On peut alors s'en servir avec prudence, notamment dans les viandes de veau et de porc.

Soupe de pois frais

Préparation : 1 h (cuisson : 20 mn)
Pour 4 personnes : 1 kg de petits pois, 1 oignon haché, eau, huile d'olive, sel, tranches de pain.

Écosser les petits pois ; faire passer à l'huile l'oignon haché, ajouter les pois, mouiller à l'eau et saler. Faire cuire 20 mn. Verser bouillon et petits pois sur les tranches de pain arrosées d'huile d'olive.

Soupe de lentilles provençale

Préparation : 1 h 30 (cuisson : 1 h)
Pour 5 personnes : 1 kg de lentilles triées, 3 l d'eau tiède, 4 gousses d'ail, 6 pommes de terre, huile d'olive, sel, tranches de pain.

Jeter dans une marmite d'eau tiède les lentilles. Ajouter les gousses d'ail, les pommes de terre et une poignée de sel. Porter à ébullition et ralentir le feu. Au bout d'1 heure, écraser les pommes de terre et les mettre dans un plat avec des tranches de pain arrosées d'huile d'olive ; tremper avec la soupe, couvrir et laisser quelques minutes avant de servir.

Soupe à l'oseille

Préparation : 45 mn (cuisson : 20 nn)
Pour 4 personnes : 4 grosses poignées d'oseille, 1 poireau,
1 oignon haché fin, 1 l d'eau, 2 jaunes d'œufs, huile d'olive, sel,
tranches de pain grillées.

Trier, laver et hacher l'oseille.
Faire passer à l'huile d'olive les
poireaux et les oignons
hachés fin ; ajouter l'oseille
et faire fondre en remuant ;
mettre l'eau, saler et laisser cuire
1/4 h. Lier ensuite aux jaunes d'œufs et verser la
soupe sur les tranches de pain grillées.

Soupe aux fèves

Même recette que la précédente ; écosser les fèves
et enlever la peau pour enlever l'amertume.

Soupe de favouilles

Préparation : 1 h (cuisson : 45 mn)
Pour 5 personnes : 2 bonnes douzaines de crabes vivants
(favouilles), 1 blanc de poireau, 2 tomates, 2 gousses d'ail, 1
oignon, 150 g de gros vermicelles, 150 g de parmesan râpé,
thym, laurier, fenouil, huile d'olive, safran, sel, poivre.

Piler dans un mortier 6 crabes bien lavés. Emincer
l'oignon et le poireau et les faire revenir dans une
marmite avec deux cuillerées d'huile d'olive ; ajouter
les crabes pilés et les crabes entiers, et les faire
colorer. Ecraser les gousses d'ail et les tomates
pelées et épépinées, les incorporer dans la
marmite. Quand l'eau de
cuisson s'est évaporée,
recouvrir d'eau ; ajouter
les herbes, le fenouil, un
peu de safran. Saler et
poivrer. Laisser cuire
pendant 25 mn avant de retirer les crabes. Passer le
bouillon et le verser dans une casserole, puis le
remettre sur le feu pour le porter à ébullition. Jeter
le vermicelle et laisser cuire encore 15 mn. Verser
dans une soupière et accompagner des crabes.

Soupe de poissons des Calanques

Préparation : 2 h

Pour 6 personnes : 3 l d'eau, 1 kg de petits congres, 1 poireau, 1 oignon, 1 tomate, 6 gousses d'ail, fenouil, persil, laurier, 3 clous de girofle, 1 petit piment entier, 300 g de gros vermicelles, safran, parmesan râpé, rouille, sel, tranches de pain grillées.

Tailler les congres nettoyés en tronçons. Faire roussir dans une casserole les légumes avec l'ail et le persil, hachés grossièrement. Ajouter le poisson et le faire revenir quelques minutes ; mouiller avec l'eau bouillante. Assaisonner avec une sommité de fenouil, une feuille de laurier, 3 clous de girofle, du sel et le piment. Laisser cuire 3/4 d'heure et passer le tout au tamis ; remettre le bouillon à ébullition et jeter dedans le vermicelle et une pincée de safran. Laisser cuire 1/2 h. Servir avec du pain grillé, du parmesan et de la rouille.

Soupe de poissons
à la marseillaise

Préparation : 2 h (cuisson 1 h 15)

Pour 8 personnes : 3 l d'eau, 2 kg de poissons entiers (rascasse, rouget, merlan, saint-pierre, limande, sole, ...), 500 g de poissons coupés en darnes (loup, cabillaud, flétan, ...), 500 g de congres coupés en tronçons de 4 cm, 500 g de favouilles vivantes (crabes verts), 500 g de têtes, arêtes et parures de poisson, 25 cl d'huile d'olive, 500 g de blancs de poireaux hachés menu, 3 oignons moyens hachés, 4 ou 5 gousses d'ail pilées, 6 gousses d'ail épluchées, 750 g de tomates fermes, 10 cl de pastis, thym, sarriette, origan, marjolaine, laurier, 1 branche de fenouil, verts de poireaux, 1 pincée de safran en poudre, 1 fleur de safran entière, 2 lanières d'écorce d'oranges séchées, sel, poivre, tranches de pain grillées, rouille, parmesan râpé.

Laver et éponger tous les poissons et les crabes, puis les étaler dans un grand plat. Les arroser d'huile d'olive, saupoudrer d'herbes et d'une pincée de safran et arroser avec la moitié du pastis. Frotter les poissons entre les mains pour les jaunir de safran et les laisser mariner. Faire chauffer de l'eau dans une casserole, y mettre les déchets de poisson, quelques verts de poireaux, 1 oignon grossièrement haché, 4 ou 5 gousses d'ail pilées, le fenouil, 1 lanière d'écorce

d'orange, 1 brin de thym, 1 feuille de laurier et du sel.
Amener à ébullition, couvrir et laisser cuire 20 mn à
feu moyen. Écraser ensuite toutes les matières
solides avec un pilon, passer au tamis et refaire cuire
10 mn. Mettre le reste de l'huile dans une grande
marmite pour y faire cuire le reste des poireaux et
des oignons, en remuant régulièrement. Au bout de
10 minutes, incorporer les tomates, le reste de safran
en poudre, les fleurs de safran entières et l'écorce
d'orange séchée. Cuire encore 5 mn, poivrer et
contrôler le goût ; saler si besoin. Mettre la marmite
sur feu très vif, ajouter le fumet et le reste de pastis ;
cuire 15 mn en restant à ébullition. Ajouter les
poissons à chair ferme et les crustacés ; 5 mn après,
mettre les plus gros poissons à chair tendre, et
encore 5 mn après, les plus petits. Faire griller les
tartines de pain et les frotter d'ail. Les mettre dans

les assiettes avec un peu
de rouille et du parmesan
râpé. Dresser les
poissons dans un plat ;
mouiller de 2 louches de
bouillon et verser le reste
dans une soupière.

Omelettes
et
pâtes fraîches

Œufs brouillés aux truffes de Bollène

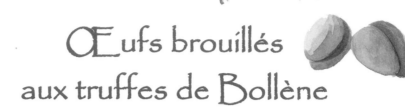

Couper les truffes en dés et les faire passer à l'huile dans une cocotte ; battre les œufs, les assaisonner et les incorporer en remuant constamment sur feu doux jusqu'à ce que les œufs soient liés ; servir avec des croûtons frits à l'huile d'olive.

Omelette de Manosque

Préparation : 15 mn
Pour 4 personnes : 30 g de beurre, 6 œufs, 2 fromages frais de brebis, 2 cuillerées de crème fraîche, 10 feuilles de menthe, sucre.

Faire chauffer la poêle et lier le beurre sur feu vif avec 6 feuilles de menthe fraîche coupées en lamelles fines. Ajouter les œufs légèrement battus avec 2 cuillerées de sucre, puis le fromage ; verser la crème fraîche sur le dessus. Secouer la poêle pour faire passer le liquide dessous. Plier l'omelette. Servir chaud après avoir saupoudré de sucre et garni de feuilles de menthe.

Omelette provençale

Hacher des blettes, de la ciboulette, des épinards, du persil et une pointe d'ail. Mélanger aux œufs en les battant. Faire cuire.

Omelette aux moules

Préparation : 30 mn
Pour 6 personnes : 1 kg de moules, 12 œufs, échalote, citron, bouquet garni, vin blanc de Provence, huile d'olive, 50 g de beurre, persil, sel, poivre.

Faire ouvrir à feu vif les moules avec un verre de vin blanc et un bouquet garni, battre les œufs en omelette avec du persil haché ; saler et ajouter les moules. Faire fondre le beurre dans une poêle avec une cuillerée d'huile d'olive et incorporer l'omelette. Laisser cuire et arroser de citron avant de servir.

Omelette de La Ciotat

Préparation : 20 mn
Pour 6 personnes : 500 g de poutine
(alevins), 10 œufs, farine, huile d'olive, ail,
persil, sel, poivre.

Battre les œufs en omelette avec 1 gousse d'ail et un peu de persil haché. Fariner légèrement les poissons et les faire chauffer 10 mn dans l'huile d'olive en les retournant. Verser l'omelette dessus et laisser cuire. Saler et poivrer.

Omelette d'oursins

Préparation : 30 mn
Pour 6 personnes : 12 oursins,
12 œufs, citron, huile d'olive,
sel, poivre.

Battre les œufs en omelette, saler, poivrer et ajouter le jus d'un demi citron. Détacher le corail des oursins et l'incorporer. Cuire l'omelette dans une poêle avec un filet d'huile d'olive. Servir arrosé de citron.

Pâtes fraîches aux oeufs

Préparation : 40 mn (temps de repos : 2 à 3 h)
Pour 6 à 8 personnes : 500 g de farine ; 5 œufs

Pour cette recette, il est indispensable de posséder une machine à pâtes qui lamine et découpe. Pour pétrir au robot, mettre farine et œufs ensemble, sans eau ni sel. Pour pétrir à la main, faire une fontaine avec la farine et mettre les œufs battus. Pétrir en une seule fois, laisser la pâte reposer 10 mn, puis reprendre afin d'obtenir une pâte bien lisse. Envelopper la pâte dans un film ; la laisser reposer 3 h au réfrigérateur. Détailler la pâte en petits pâtons, les fariner. Les passer dans le laminoir à plusieurs fois en diminuant l'épaisseur des bandes obtenues ; les fariner régulièrement. Étendre les pâtes obtenues sur un linge fariné et faire cuire 2 à 3 mn selon l'épaisseur.

Pâtes au pistou

Préparation : 30 mn

Pour 6 personnes : 500 g de spaghetti, 3 gousses d'ail, 10 feuilles de basilic, 200 g de pignons, 200 g de parmesan râpé, beurre, huile d'olive, sel, poivre.

Faire cuire les pâtes. Dans un mortier, piler finement l'ail, les feuilles de basilic et 100 g de parmesan ; malaxer en incorporant des filets d'huile d'olive. Ajouter ensuite les graines de pignon écrasées. Saler, poivrer et mélanger le pistou avec les pâtes ; ajouter des morceaux de beurre et saupoudrer de parmesan.

Gnocchis à la marseillaise

Préparation : 30 mn
Pour 4 personnes : 1,5 kg de pommes de terre, 300 g de farine, 100 g de parmesan râpé, huile d'olive, 50 g de beurre, sel, poivre.

Faire cuire les pommes de terre et les passer au presse-purée. Dans une terrine, ajouter la farine à la purée, saler et poivrer. Travailler la pâte jusqu'à ce qu'elle soit lisse et ferme. Prendre une poignée de pâte et la rouler en cigare de 2 cm de diamètre. Couper des morceaux de 3 cm de long. Avec une fourchette, aplatir chaque morceau en forme de coquille. Procéder de la même façon avec le reste de la pâte.

Faire bouillir une grande casserole d'eau salée avec une cuillerée à soupe d'huile d'olive. Jeter les gnocchis dans l'eau, les laisser pocher 5 mn puis les retirer avec une écumoire dès qu'ils remontent à la surface.

Beurrer un plat allant au four, disposer les gnocchis et saupoudrer de parmesan râpé et de quelques noisettes de beurre. Laisser gratiner 15 mn.

Pâtes aux coquillages

Préparation : 40 mn
Pour 6 personnes : 500 g de coquillettes ou spaghetti, 3 douzaines de palourdes, 1 kg de moules, 300 g de petites crevettes décortiquées, 1 verre de vin blanc de Provence, huile d'olive, sel, poivre, 4 gousses d'ail, persil, beurre.

Faire ouvrir les coquillages à feu vif. Dans une cocotte, faire chauffer 2 cuillerées d'huile d'olive et faire revenir les gousses d'ail écrasées, puis cuire en remuant à feu doux pendant 3 mn. Verser un verre du jus de cuisson des coquillages, le vin blanc et porter à ébullition sur feu vif pour réduire de moitié.

Faire cuire les pâtes et les beurrer. Mettre dans la sauce le contenu des coquillages et les crevettes ; faire chauffer 2 mn et garnir les pâtes. Saupoudrer de persil haché, mélanger et poivrer.

Raviolis du pays niçois

Préparation : 1 h

Pour 8 personnes : 750 g de farine, 400 g de daube de bœuf, 5 œufs, 150 g de blettes, huile d'olive, sel, poivre, parmesan râpé, 1 gousse d'ail, thym.

Préparer la pâte avec la farine, 3 œufs, 1 cuillerée d'huile d'olive et 1/2 l d'eau. L'abaisser au rouleau pour en faire une feuille. Préparer un hachis avec la viande, les feuilles de blette, 2 œufs, 1 gousse d'ail et un peu de thym. Saler et poivrer. Si la pâte est un peu sèche, rajouter un œuf. Découper des petits carrés de pâte et les garnir de farce ; plier en deux et fermer les bords en pressant avec les doigts. Servir avec la sauce de la daube et du parmesan.

Légumes, riz
et
champignons

Pignins du Ventoux

Préparation : 20 mn
Pour 4 personnes : 2 kg de champignons (sanguins, cèpes),
3 gousses d'ail, persil, sel, poivre, huile d'olive.

Laver les champignons et les
découper en morceaux. Les
mettre dans une poêle
avec de l'huile d'olive et
les faire sauter.
Ajouter deux gousses
d'ail, le sel et le poivre.

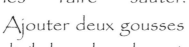

Faire une persillade avec de l'ail et du persil
hachés. Retirer les gousses d'ail et servir très chaud.

Poivrons à l'anchoïade

Préparation : 45 mn
Pour 6 personnes : anchoïade, 6 poivrons, persil haché.

Préparer une anchoïade. Faire griller les poivrons 15
mn en les tournant, les laisser refroidir, les peler, les
couper en deux et ôter les graines. Mettre les poivrons dans un plat, couvrir de sauce et saupoudrer
de persil haché.

Tomates à la provençale

Préparation : 20 mn
Pour 4 personnes : 6 tomates fermes, huile d'olive, 80 g de
beurre, 4 gousses d'ail, 1 bouquet de persil, 2 cuillerées de
chapelure, sel, poivre.

Couper les tomates en
deux, les saler et les
retourner pour les
égoutter. Faire chauffer
un peu d'huile et une
noix de beurre dans une
poêle. Y déposer les
tomates sur la face
coupée ; laisser frire à
feu vif, retourner, saler
et poivrer. Hacher le persil
et l'ail et mélanger à la
chapelure. Etaler sur les
tomates, mettre une noix de beurre sur
chacune, couvrir et laisser cuire 10 mn.

Potiron à la provençale

Préparation : 20 mn

Pour 4 personnes : 800 g de potiron, 5 cuillerées d'huile d'olive, 1 tomate, 1 oignon, 1 bouquet garni, sel, poivre, 40 g de beurre.

Peler le potiron et couper la pulpe en petits dés. Faire chauffer l'huile dans une poêle sur feu vif et faire cuire le potiron 10 mn. Peler l'oignon et le couper en tranches fines. Mettre sur le feu une petite casserole avec un morceau de beurre ; faire revenir l'oignon.

Ajouter dans la casserole la tomate écrasée délayée dans deux cuillerées d'eau. Mettre le bouquet garni, saler, poivrer et laisser chauffer 3 mn.

Quand le potiron est cuit, verser les morceaux sur un plat et arroser avec la sauce ; servir chaud.

Le laurier s'utilise dans les ragoûts, les soupes, et sur les brochettes de viande; 1 feuille dans l'eau de cuisson des pâtes change tout.

Oignons à la tapenade

Préparation : 40 mn
Pour 4 personnes : 8 oignons doux,
2 tranches de jambon de montagne,
1 bol de tapenade, 2 biscottes,
huile d'olive, persil haché, clous de
girofle, bouillon.

Eplucher les oignons, couper un chapeau, les évider
en laissant une bonne épaisseur de peau. Hacher
menu le jambon et l'intérieur des oignons ; écraser les
biscottes et mélanger le tout avec la tapenade,
2 cuillerées d'huile d'olive et 1 cuillerée de persil
haché. Emplir les oignons et mettre les chapeaux.
Y piquer un éclat de clou de girofle.

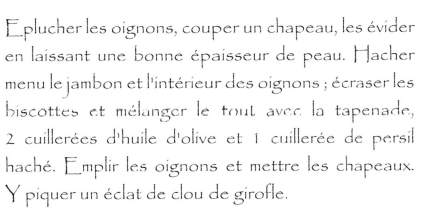

Disposer les oignons dans une cocotte ; couvrir et
laisser cuire. Déposer les oignons farcis dans un plat
creux et arroser avec le bouillon.

Fleurs de courgettes en beignets

Préparation : 1 h
Pour 4 personnes : 12 fleurs, 100 g de farine,
2 œufs, 2 cuillerées d'huile, sel, tabasco, crème
d'anchois.

Mélanger la farine avec 1 jaune d'œuf, l'huile, 1 petite cuillerée de crème d'anchois, quelques gouttes de tabasco, un peu d'eau jusqu'à obtenir une pâte consistante. Laisser reposer 1 h au moins. Monter 2 blancs d'œufs en neige et les incorporer à la pâte au moment de faire la friture. Détacher les fleurs de courgettes et les plonger délicatement dans la pâte, puis dans la friture chaude ; laisser gonfler et dorer ; mettre à égoutter et servir chaud.

Beignets de légumes

Artichauts, aubergines, courgettes peuvent se préparer de la même façon que la recette précédente.

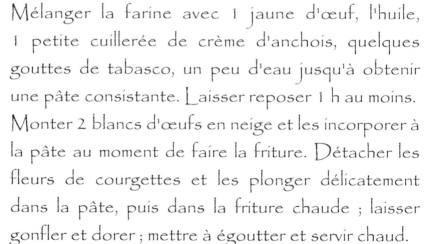

Marinade d'asperges
de Cavaillon

Préparation : 1 h (cuisson : 40 mn)

Pour 6 personnes : 50 pointes d'asperges, 2 citrons, 2 gousses d'ail, 6 cébettes, 3 pincées de feuilles de thym émiettées, 1 verre de vin blanc de Provence, huile d'olive, sel, poivre en grains.

Mettre dans une cocotte 25 cl d'eau, 1 verre de vin, 6 cuillerées d'huile d'olive, le jus de 2 citrons, 1 pincée de sel, 1 grande cuillerée de grains de poivre écrasés, le thym, les cébettes coupées en morceaux et l'ail écrasé. Couvrir, porter à ébullition et laisser cuire 20 mn. Incorporer les pointes d'asperges et faire cuire encore à feu doux 20 mn. Servir froid.

Pommes de terre comme à Pertuis

Préparation : 1h
Pour 6 personnes : 1,5 kg de pommes de terre, 100 g de beurre, 5 œufs, sel, poivre, muscade râpée, 6 olives vertes, 6 filets d'anchois, chapelure, persil, huile d'olive.

Faire cuire les pommes de terre au four ou dans la braise ; les éplucher et les piler au mortier ; ajouter le beurre, les jaunes d'œufs, du sel, du poivre, de la muscade râpée et mélanger le tout.

Partager cette pâte en 6 parties, et mettre dans chacune d'elles une olive verte dénoyautée et emplie d'un filet d'anchois. Donner à chaque partie la forme d'une poire. Passer ces poires dans les blancs d'œufs battus et dans la chapelure. Les faire frire dans beaucoup d'huile assez chaude ; dresser sur un plat et imiter la queue de la poire avec un brin de persil.

Bohémienne
des Saintes-Maries

Préparation : 1 h

Pour 4 personnes : 2 oignons, 4 aubergines, 4 tomates, 2 gousses d'ail, 100 g de parmesan râpé, 1 petit verre d'huile d'olive, persil, poivre, sel.

Peler les aubergines et les couper en tranches. Saupoudrer de sel et laisser dégorger. Eplucher et émincer les oignons ; peler et épépiner les tomates ; hacher l'ail et le persil. Faire chauffer l'huile d'olive dans une poêle et faire fondre les oignons. Ajouter les aubergines puis la pulpe des tomates, l'ail et le persil ; saler et poivrer. Faire réduire à feu vif jusqu'à évaporation, puis laisser mijoter 20 mn. Servir chaud après avoir saupoudrer de fromage râpé.

Ratatouille niçoise

Préparation : 1 h
Pour 4 personnes : 100 g d'oignons, 250 g de courgettes, 250 g de tomates, 150 g de poivrons, 2 gousses d'ail, 1 dl d'huile d'olive, sel, poivre.
Il n'entre pas d'aubergines dans la vraie ratatouille niçoise.

Emincer finement oignons et courgettes. Enlever la peau des tomates, extraire l'eau et les pépins, couper finement les poivrons, hacher l'ail. Mettre dans une poêle à fond épais l'huile d'olive et les oignons. Faire sauter. Ajouter les courgettes, les poivrons, l'ail et les tomates. Faire sauter deux ou trois fois, réduire le feu, couvrir et laisser mijoter.

Si on prépare une ratatouille pour de nombreux convives, faire sauter les légumes à part.

Pain de tomates arlésien

Préparation : 1 h
Pour 6 personnes : 1 kg de sauce tomate fraîche, 6 œufs,
1 bouquet garni, 1 bol de sauce au basilic, huile d'olive, sel,
poivre.

Faire réduire la sauce tomate avec le bouquet garni pendant 1/4 h. Battre les jaunes d'œufs en omelette et les ajouter aux tomates. Monter les blancs en neige avec une pincée de sel, et les faire glisser dans la préparation. Mélanger sans casser les blancs. Saler, poivrer. Huiler un moule à cake et verser la préparation ; mettre au bain-marie. Cuire à four moyen (30 mn), démouler froid et servir avec la sauce au basilic.

Courgettes farcies

Préparation : 50 mn
Pour 6 personnes : 6 courgettes,
300 g de viande de porc cuite,
2 œufs, 4 oignons,
2 gousses d'ail,
1 bouquet de persil,
muscade,
50 g de beurre,
50 g de fromage râpé,
sel, poivre.

Couper les courgettes non épluchées dans le sens de la longueur et ôter une grande partie de la chair. Faire blanchir les courgettes dans l'eau bouillante salée. Hacher la viande, les oignons, l'ail, le persil et la chair des courgettes ; lier cette farce avec les œufs entiers, saler, poivrer et saupoudrer de muscade râpée.

Remplir les courgettes de farce et disposer dans un plat à gratin beurré ; parsemer de fromage râpé et poser sur chaque courgette deux noix de beurre. Mettre au four déjà chaud et laisser cuire 30 mn.

Blettes à la provençale

Préparation : 1 h

Pour 6 personnes : 2 kg de côtes de blettes (sans les feuilles), 3 gousses d'ail, 1 oignon, persil, poivre, sel, clou de girofle, 1 dl de vinaigre d'estragon, 3 l d'eau, 1 bouquet garni, 25 g de farine, aïoli.

Préparer un "blanc" en mettant dans une marmite 3 l d'eau avec un bouquet garni, un oignon piqué d'un clou de girofle, 1 dl de vinaigre, 20 g de sel, et la farine délayée en bouillie liquide. Porter à ébullition et plonger les blettes nettoyées pour les ramollir.

Couper chaque tige en deux dans le sens de la longueur et retirer les fils. Attacher ces bâtonnets en bottes de 5 et faire cuire dans le blanc pendant 30 mn. Pour servir, détacher les bottes, les égoutter et les poser sur un plat. Servir chaud avec un aïoli.

Riz de Camargue
aux moules

Préparation : 1 h

Pour 4 personnes : 125 g de riz de Camargue, 1 kg de moules, huile d'olive, 1 oignon, 2 gousses d'ail, 1 échalote, sel, poivre, safran, vin blanc de Provence, beurre, farine, bouillon, bouquet garni.

Faire cuire le riz. Préparer les moules avec le vin blanc et le bouquet garni. Garder le jus de cuisson pour le rajouter au riz. Laisser cuire le riz à feu doux pendant encore 25 mn sans qu'il dessèche. Mettre dans une casserole deux cuillerées d'huile d'olive, un bon morceau de beurre, un oignon, une échalote et l'ail finement haché ; ajouter une cuillerée de farine et faire revenir.

Quand le tout est doré, mouiller avec du bouillon (tout préparé du commerce) et verser le riz ;

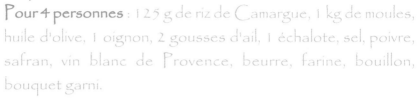

mettre le sel, poivre et un peu de safran. Jeter sur le riz les moules décortiquées, mélanger et servir frais.

Artichauts à la barigoule

Préparation : 40 mn (cuisson : 50 mn)
Pour 4 personnes : 12 artichauts violets,
200 g de petit salé, 12 bardes de lard,
150 g de champignons de Paris,
1 oeuf, 100 g de pain de mie, 4 oignons,
2 carottes, 2 gousses d'ail, 1 verre d'huile
d'olive, 1 verre de vin blanc sec, 2 verres de bouillon, 1 tasse
de lait, 1 bouquet garni, noix de muscade, sel, poivre.

Faire tremper la mie de pain dans le lait. Faire
chauffer 2 cuillerées d'huile d'olive, faire revenir le
petit salé, les oignons et les champignons hachés.
Retirer du feu et ajouter la mie de pain, l'ail et le
persil hachés. Saler, poivrer, ajouter une pincée de
muscade et l'oeuf. Mélanger pour obtenir une farce
homogène. Garnir les fonds d'artichauts, les
envelopper d'une barde de lard et les ficeler.
Emincer les 2 autres oignons, couper les carottes en
rondelles. Faire chauffer 3 cuillerées d'huile d'olive
et faire dorer oignons et carottes. Ajouter les
artichauts et le bouquet garni, mouiller avec le vin
blanc et le bouillon. Faire cuire à feu vif 10 mn.
Baisser le feu et laisser mijoter 40 mn.

Poissons, coquillages et crustacés

Calmars farcis

Préparation : 1h30

Pour 4 personnes : 3 gousses d'ail, 1 kg de calmars vidés et lavés (hacher les tentacules), huile d'olive, 3 œufs, 100 g de mie de pain hachée, trempée dans du lait, 3 tomates pelées épépinées, sel, poivre, persil , farine, 1 oignon haché, 15 cl de vin blanc de Provence, 1 feuille de laurier, panure.

Faire revenir l'oignon à l'huile, ajouter le laurier, 1 gousse d'ail pilée et 1 cuillerée de farine ; mouiller avec le vin et 2 cuillerées d'eau chaude ; saler, poivrer, porter à ébullition, couvrir et laisser bouillir 15 mn. Pour faire la farce, faire revenir l'oignon dans 4 cuillerées d'huile d'olive, ajouter les tentacules hachés et les tomates ; assaisonner et bien faire revenir en remuant, jusqu'à ce que le jus des tomates ait réduit. Ajouter le pain, 2 gousses d'ail hachées et 2 cuillerées de persil haché ; travailler la pâte, mouiller avec 2 cuillerées d'eau chaude et ajouter 3 jaunes d'œufs ; obtenir une farce épaisse. Remplir de farce les poches des calmars, coudre et les poser dans une sauteuse huilée. Passer la sauce dessus et saupoudrer de panure, arroser d'huile et faire cuire au four préchauffé pendant 50 mn.

Seiches au pastis

Préparation : 1 h

Pour 4 personnes : 750 g de seiches, 1/4 l de bouillon, 1 verre de vin blanc sec, 2 gousses d'ail hachées, sel, poivre, huile d'olive, persil haché, 1 échalote hachée, 175 g d'épinards, 1 petit verre à liqueur de pastis, 1 bol d'aïoli.

Enlever les pattes des seiches et couper leurs têtes en deux ; porter le bouillon à ébullition avec 2 cuillerées de vin, 3 cl d'huile d'olive, l'ail, le sel, le poivre et le persil, puis ajouter les seiches ; couvrir d'eau bouillante et faire cuire 25 mn avec un couvercle.

Faire revenir dans une poêle l'échalote dans un peu d'huile d'olive ; ajouter les épinards lavés et coupés en lamelles, et ajouter les seiches. Verser dessus le pastis et le jus de cuisson, juste pour couvrir les seiches ; assaisonner et laisser cuire à petit feu 20 mn, en mouillant si nécessaire. Servir avec un aïoli.

Poulpe à la marseillaise

Préparation : 1h30

Pour 4 personnes : 1 kg de poulpe nettoyé et coupé en morceaux, huile d'olive, sel, poivre, 1 poireau et 1 oignon hachés, thym, fenouil, laurier, céleri, 4 tomates pelées et épépinées, 2 pincées de safran, 1 gousse d'ail pilé, 175 g de riz de Camargue.

Chauffer l'huile dans une casserole et faire revenir le poulpe vivement en assaisonnant de sel et de poivre ; lorsqu'il est coloré, ajouter le poireau, l'oignon, les plantes aromatiques et un peu plus tard, les tomates, le safran et l'ail. Continuer la cuisson pendant 1 h en maintenant la casserole couverte et en ajoutant de l'eau pour que le poulpe soit toujours mouillé ; 20 mn avant de servir, ajouter le riz.

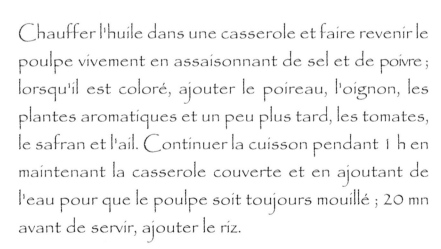

Moules farcies

Préparation : 1 h

Pour 4 personnes : 2 kg de grosses moules, 300 g d'épinards blanchis et hachés, 2 tranches de pain de mie, sauce à la tomate et aux oignons, 2 échalotes hachées, lait.

Faire cuire 1 kg de moules, les sortir de leurs coquilles, et préparer la farce avec les moules hachées, les épinards, les échalotes hachées et la mie de pain trempée dans du lait.

Entrouvrir les moules crues au couteau au-dessus d'un bol pour récupérer l'eau, les farcir et refermer les coquilles avec de la ficelle. Les ranger bien serrées dans une sauteuse, le côté ouvert vers le haut. Préparer une sauce avec des tomates et des oignons en incorporant l'eau des moules crues et cuites. Verser assez de sauce pour couvrir les moules. Mettre un couvercle et laisser mijoter 15 mn. Retirer la ficelle, écarter les coquilles et remplir avec la sauce qui reste ; servir chaud avec du pain de seigle.

Moules au pistou

Préparation : 1 h

Pour 4 personnes : 1 kg de moules, huile d'olive, sel, poivre de Cayenne, 6 gousses d'ail pilées, 8 tomates pelées et concassées, 500 g de crème fraîche, 1 bouquet de basilic, persil, 1 pincée de sucre en poudre, kirsch.

Mettre dans une sauteuse 1 cuillerée d'huile d'olive, la purée d'ail, les tomates, la crème, le sel, le poivre et le sucre ; laisser réduire d'un tiers. Jeter les moules et faire sauter jusqu'à ce qu'elles s'ouvrent ; les retirer et tenir les moules décortiquées au chaud ; réduire à nouveau car les moules ont rendu du jus. Ajouter une cuillerée de kirsch et rectifier l'assaisonnement. Emincer la moitié du basilic et l'incorporer ; remettre les moules et les faire sauter. Servir chaud, napper de persil et du reste de basilic.

Huîtres à la provençale

Pour 4 personnes : 6 huîtres par personne, 150 g de beurre, ail, persil plat, ciboulette, 1 kg de gros sel, 1 citron.

Faire ouvrir les huîtres exactement comme les moules. Attention à ne pas les faire trop cuire pour qu'elles ne soient pas trop dures.

Enlevez la coquille du dessus.

Préparez votre beurre : beurre mou à température ambiante, ail, persil et ciboulette hachés, le jus d'un petit citron. Malaxez le tout dans un bol.

Avec une cuillerée à café, garnisser les huîtres de cette préparation.

Sur un plat allant au four, mettre le gros sel, y incruster les huîtres le plus à plat possible, passer à la salamandre (gril).

Bourride

Choisir ici la baudroie, poisson ferme et charnu, ou à défaut du merlan ou de la raie. Couper le poisson en tronçons ; mettre sur le feu avec de l'eau, du sel et les aromates; à ébullition, retirer la casserole du feu pendant 1 /4 h. Préparer l'aïoli-sauce et le mettre dans une casserole avec un jaune d'œuf par personne, remuer le tout ; ajouter une partie du bouillon tamisé, poser cette sauce sur le feu et la fouetter pour en faire une crème. Avec le reste du bouillon, humecter des tranches de pain et verser sur celles-ci la crème à l'ail. Servir le poisson à part.

Les poissons de la bouillabaisse

On choisit traditionnellement ces poissons parmi les douze suivants : baudroie, congre, dorade, gallinette, grondin, langouste, loup, merlan, rascasse, sard, saint-pierre et turbot. Inventée à Saint-Raphaël, la bouillabaisse est devenue le plat typique de toute la bordure méditerranéenne, et surtout de Marseille.

La bouillabaisse
du Père Roubillon

Préparation : 1 h

Pour 4 personnes : 1,5 kg de poissons variés,
1 oignon, 5 gousses d'ail, 2 tomates, persil, laurier,
fenouil, safran, sel, poivre de Cayenne, huile.

Laver les poissons à l'eau de mer ; ôter les écailles et
les nageoires et tailler les poissons en tronçons.

Faire roussir dans une casserole
avec de l'huile l'oignon, l'ail, une
pincée de persil, les tomates
épépinées et pelées, le tout haché
grossièrement. Ajouter les poissons et
couvrir d'eau bouillante ; ajouter le sel, le
poivre, une feuille de laurier, un peu de fenouil

et du safran. Faire bouillir à grand feu pendant
10 mn en remuant de temps en temps. Rectifier
l'assaisonnement avec un peu de Cayenne. La
bouillabaisse est cuite quand elle est légèrement liée
par le mélange de l'huile et de l'eau. Verser alors le
poisson dans un plat et le bouillon dans un autre
avec des tranches de pain.

Bouillabaisse de morue

Préparation : 1 h

Pour 4 personnes : 1 kg de morue dessalée, 1 poireau haché, 3 gousses d'ail, huile d'olive, poivre, safran, laurier, 4 pommes de terre, tranches de pain.

Couper la morue en morceaux carrés. Faire roussir dans une casserole avec de l'huile le poireau haché et les gousses d'ail ; mouiller avec de l'eau et jeter dedans les pommes de terre taillées en tranches. Faire bouillir quelques minutes avant d'y ajouter la morue ; mettre du poivre, du laurier et du safran ; goûter avant de saler si besoin. Servir séparément la morue et le bouillon sur des tranches de pain.

Grand aïoli

Même recette que la précédente mais on entoure le plat de pommes de terre, carottes, œufs durs, le tout accompagné d'un grand bol d'aïoli.

Le fenouil s'utilise pour les recettes de poisson, les courts-bouillons et la soupe de poissons. Pour les poissons grillés, on pourra le brûler dans la braise.

Daurade à la provençale

Préparation : 40 mn

Pour 4 personnes : 1 daurade de 1,5 kg, 2 oignons,
2 échalotes, 2 gousses d'ail, 2 tomates, 2 branches de fenouil,
persil, huile d'olive, sel, poivre, beurre, vin blanc de Provence.

Préparer les légumes et les couper en quartiers.
Déposer le poisson écaillé et vidé dans un plat huilé ;
y mettre dans le ventre une noix de beurre, sel et
poivre. Disposer autour les légumes, le fenouil et le
persil. Mouiller avec un verre de vin blanc sec.
Mettre dans le four chauffé vif. Laisser cuire 30 mn
en retournant et en arrosant souvent.

Daurade grillée

Préparer   une   huile   d'olive
aromatisée avec du piment, du
thym, du fenouil ; saler et
badigeonner la daurade vidée
et écaillée dont les flancs ont été entaillés pour éviter
l'explosion de la peau et permettre aux aromates de
rentrer. Servir avec une sauce rémoulade.

Gigot de mer à la provençale

Préparation : 1 h

Pour 4 personnes : 1,5 kg de lotte, beurre, 1 carotte, 1 oignon, 250 g de champignons, 4 gousses d'ail, 1/2 verre de vin blanc, farine, sel, poivre, huile d'olive, 3 tomates, persil.

Piquer le tronçon de lotte avec des morceaux d'ail ; saler, poivrer et fariner. Faire dorer dans une poêle avec 20 g de beurre et un peu d'huile ; retirer du feu. Éplucher et couper en dés la carotte, l'oignon et les queues de champignons. Mettre ce hachis dans un plat à feu ; déposer la lotte dessus et arroser avec le vin blanc ; saler et poivrer ; faire cuire à four moyen (30 à 40 mn). Couper les têtes de champignons en lamelles et les faire sauter à la poêle avec une noix de beurre ; saler et poivrer ; ajouter un peu d'ail et de persil hachés ; tenir au chaud. Couper les tomates en deux ; les faire cuire dans une poêle avec un peu d'huile d'olive chaude, 5 mn sur chaque face ; saler et poivrer. Déposer la lotte dans un plat ; verser 1/2 verre d'eau dans le plat de cuisson resté sur le feu ; délayer en frottant le fond du plat; verser sur le poisson. Décorer avec les demi tomates sautées recouvertes des lamelles de champignons.

Morue à la provençale

Préparation : 3h

Pour 6 personnes : 800 g de morue, 500 g de tomates, 4 poivrons, 2 oignons, huile d'olive, sel, poivre, laurier.

Faire tremper la morue 24 h à grande eau, enlever la peau et les arêtes. Préparer un fin hachis d'oignons et de laurier et huiler un plat allant au four. Y disposer une couche de morue, placer dessus les tomates pelées et épépinées, les poivrons épluchés, vidés et coupés en lanières. Répartir une cuillerée de hachis, saler, poivrer et arroser d'huile d'olive. Répéter cette opération en terminant par une couche de poisson et d'assaisonnement. Cuire à couvert à feu doux pendant 2 h 30.

Brandade de morue

Préparation : 1 h

Pour 6 personnes : 1 kg de morue bien blanche, huile d'olive, 1/2 l de lait, 1 pointe d'ail, 1 pincée de persil, 1 filet d'anchois, 1 citron, poivre blanc, croûtons.

Faire tremper la morue à grande eau pendant 24 h ; ôter les écailles et la mettre dans 3 l d'eau fraîche sur le feu ; retirer à ébullition et laisser reposer 1/2 h ; l'égoutter et ôter les arêtes mais laisser la peau.

Dans une casserole, mettre 230 g d'huile d'olive, la chauffer et quand elle est fumante jeter la morue, tourner pour la briser ; continuer à la travailler hors du feu en ajoutant peu à peu le lait bouillant, puis un peu d'huile ; en faire une pommade.

Faire roussir dans de l'huile une pointe d'ail, une pincée de persil, un filet d'anchois, le tout haché très fin, mélanger et incorporer le zeste d'un citron râpé. Incorporer ces ingrédients dans la morue, la chauffer et la servir entourée de croûtons. Ajouter un peu de poivre blanc et du sel si besoin.

Gratin de morue

Préparer la morue comme pour la brandade ; faire cuire dans de l'huile d'olive des poireaux et des oignons hachés, puis des épinards blanchis ; ajouter de la crème fraîche ; mélanger et tapisser le fond d'un plat à gratin de la moitié de ce mélange. Couvrir de morue et du reste de la préparation.

Disposer des œufs durs coupés en deux, décorer d'anchois, parsemer de parmesan râpé et de mie de pain émiettée. Faire gratiner.

Rougets du bailli de Suffren

Préparation : 45 mn

Pour 4 personnes : 40 g de beurre, 1 oignon, 1 gousse d'ail, 400 g de tomates, 8 filets d'anchois, 8 olives vertes dénoyautées, 4 rougets-barbets, 1/2 verre de lait, farine, huile d'olive, sel, poivre, 1 citron.

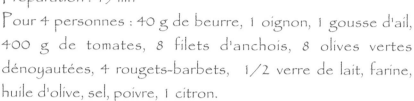

Faire fondre dans une casserole 20 g de beurre ; ajouter oignon et ail hachés, tomates pelées et épépinées, sel et poivre. Laver les rougets et les plonger dans le lait ; saler et poivrer ; les rouler dans la farine et les faire cuire à la poêle, 5 mn par face, dans l'huile chaude. Disposer les rougets dans un plat, verser la fondue de tomates autour ; arroser avec le reste de beurre fondu et le jus du citron. Disposer 2 olives ceinturées d'anchois sur chaque rouget et servir chaud.

Sardines à la provençale

Préparation : 45 mn

Pour 4 personnes : 2 douzaines de sardines, 2 poivrons, 2 tomates, 1 oignon, 1 gousse d'ail, vin blanc de Provence, 1 cuillerée de concentré de tomates, 1 bouquet garni, huile d'olive, sel, poivre.

Faire blondir dans une casserole avec 3 cuillerées d'huile d'olive les poivrons coupés en lanières sans graines et l'oignon haché. Ajouter les tomates pelées et épépinées, mouiller avec 1 verre de vin blanc et délayer dans cette sauce un peu de concentré de tomates. Mettre le bouquet garni et une gousse d'ail pilée ; saler, poivrer et laisser mijoter à découvert 20 mn.

Vider et laver les sardines, saler l'intérieur et les saisir rapidement dans la poêle avec très peu d'huile. Verser sur les poissons la sauce aux poivrons et laisser mijoter encore 5 mn à découvert.

Thon des moines de Saint-Victor

Préparation : 3 h 30 (cuisson : 3 h)

Pour 4 personnes : 700 g de darnes de thon, 2 oignons émincés, 500 g de tomates, 1 citron, sel, poivre, huile d'olive, vinaigre, eau, vin blanc, liqueur des moines (chartreuse...), feuilles de laitue.

Faire dégorger le thon dans de l'eau vinaigrée pendant 15 mn ; peler, épépiner et concasser les tomates.

Dans un plat à gratin, préparer un lit avec les feuilles de laitue, les oignons, les tomates et des tranches de citron ; saler, poivrer et mettre le thon. Recommencer l'opération et terminer avec 4 cuillerées d'huile d'olive. Mouiller avec 10 cl d'eau, 10 cl de vin blanc sec et 3 cuillerées de liqueur fabriquée dans les monastères. Faire cuire 2 h à petit feu au four en arrosant de temps en temps.

Grondin des Iles d'Or

Préparation : 30 mn
Pour 4 personnes : 1 kg de poisson, 1 gousse d'ail pilée,
1 poivron vert ou jaune épépiné et haché, orange et citron,
gros sel.

Vider et couper en tronçons de 2,5 cm le poisson
entier ou nettoyer plusieurs petits poissons. Les
couvrir d'une couche épaisse de gros sel et laisser
reposer au moins 1 h. Faire une bigarade de 10 cl
avec 4 cuillerées de jus d'orange et 2 ou 3 cuillerées
de jus de citron. Mettre dans une casserole l'ail, le
poivron et le jus.
Verser une quantité d'eau suffisante pour immerger
à peine le poisson et porter à ébullition ; laver le
poisson et le mettre dans la casserole. Ramener
rapidement à ébullition, couvrir et laisser mijoter 10 à
15 mn, pour que le poisson soit cuit.

Loup au four

Préparation : 1 h 15

Pour 6 personnes : 1 loup vidé et écaillé, 200 g de fromage frais de brebis, 60 g de mie de pain, 1 gousse d'ail pilée, 1/2 oignon haché, 8 tranches fines de lard fumé, 50 cl de fonds de veau, thym, lait, huile d'olive.

Mettre le poisson dans un plat à four huilé. Faire une farce avec la mie de pain cuite dans 10 cl de lait, 1/2 cuillerée de thym, l'ail et l'oignon pilés, le tout mélangé avec le fromage. Remplir le poisson avec cette farce et recoudre ; le couvrir avec les fines tranches de lard et le fond de veau. Faire cuire au four préchauffé pendant environ 1 h.

*Le **thym**, en petites quantités, convient aux marinades, ragoûts, grillades ou au gibier.*

Escabèche d'anchois frais

Préparation : 45 mn

Pour 5 personnes : 1 kg d'anchois frais, 1 l de vin blanc sec, 6 échalotes, 5 gousses d'ail, 10 cl de vinaigre blanc, 1 carotte, 30 cl d'huile d'olive, 1 feuille de laurier, 1 citron.

Couper en rondelles fines les échalotes, les faire suer légèrement avec une goutte d'huile d'olive. Mouiller avec le vin blanc, l'ail et la feuille de laurier.

Rajouter la carotte coupée en rondelles, porter le tout à ébullition. Laisser bouillir pour faire un peu évaporer l'alcool. Pendant ce temps, laver et nettoyer les anchois avec beaucoup de soin.

Plonger délicatement les anchois dans ce mélange bouillant. Hors du feu, rajouter la feuille de laurier, le vinaigre blanc, l'huile d'olive et le citron coupé en rondelles très fines. Laisser mariner au frais 24 heures. Servir frais.

L'anchois arrive au printemps. Il se prépare de différentes façons : salé, grillé, en beignets, comme la sardine.

Viandes
et
volailles

Steaks à la provençale

Préparation : 10 mn

Pour 4 personnes : 4 steaks minces, 8 gousses d'ail, 60 g de beurre, vinaigre de vin, persil haché, estragon, sel, poivre.

Peler et hacher les gousses d'ail, les écraser avec le beurre et les faire revenir dans une poêle sur feu doux pour dorer. Mettre dans une autre poêle sur feu vif une poignée de gros sel ; quand le sel commence à sauter, y mettre les steaks et les faire saisir 2 mn sur chaque face. Dans la première poêle, mettre 2 cuillerées de vinaigre, 1 cuillerée de persil haché et quelques feuilles d'estragon ; poivrer et chauffer à ébullition.

Mettre les steaks dans un plat chaud, enlever les morceaux de gros sel, et napper avec la sauce.

Brouffado
des mariniers du Rhône

Préparation : 3 h

Pour 6 personnes : 1,5 kg de bœuf maigre coupé en 12 morceaux (gîte, paleron), huile d'olive, vin rouge, 8 gousses d'ail, 1 oignon haché, câpres, cornichons hachés, sel, poivre, noix de muscade, laurier, zeste d'orange séché, anchoïade.

Faire une marinade avec 2 cuillerées d'huile d'olive et 2 de vin, 1 feuille de laurier, 6 gousses d'ail, 1 pincée de noix de muscade, 1 oignon, un zeste d'orange séché, sel et poivre. Verser la marinade sur le bœuf et laisser mariner une nuit. Graisser une cocotte pour contenir tous les ingrédients ; mettre le bœuf, 1 oignon et 2 gousses d'ail hachés, et 3 cuillerées de câpres. Verser dessus la marinade, presser le tout, couvrir avec un couvercle plus petit que la cocotte ; faire cuire à petit feu pendant 3 h. Quand la viande est cuite, la mettre sur un plat chaud ; passer le jus et mélanger avec l'anchoïade. Faire cuire à petit feu quelques minutes et verser sur la viande. Servir en mettant une petite cuillerée de cornichons hachés sur chaque morceau de viande.

Daube provençale

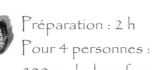

Préparation : 2 h

Pour 4 personnes :

800 g de bœuf pour la daube,
1 couenne de lard, 1 carotte,
4 oignons, 2 tomates, 100 g de
lard de poitrine, 100 g d'olives
noires, sel, poivre, huile
d'olive, ½ l de vin blanc,
1 bouquet garni,
2 gousses d'ail, persil haché, zeste
d'orange, 1 verre de cognac.

Découper la viande en cubes de 5 cm et les piquer de lard ; laisser mariner cette viande pendant quelques heures avec le vin blanc sec, 1 verre à liqueur de cognac, 2 cuillerées d'huile d'olive, le bouquet garni, 1 cuillerée de persil haché, l'ail écrasé et du poivre. Disposer la couenne dans le fond d'une cocotte et placer la viande dessus avec la carotte et les oignons coupés en rondelles, les tomates et le lard coupés en morceaux, puis les olives noires. Ajouter la marinade, le zeste, le bouquet garni, du sel et du poivre. Fermer la cocotte et laisser cuire à feu doux pendant au moins 3 h.

Tripes au basilic

Préparation : 7 h (cuisson : 6 h)

Pour 8 personnes : 2,5 kg de tripes de bœuf, 200 g de lard gras, 1 kg d'os de veau, 2 oignons, 4 jaunes d'œufs, 5 gousses d'ail, 15 feuilles de basilic, farine, sel, poivre.

Nettoyer les tripes et les faire blanchir ; faire 2 l de bouillon blanc avec les os de veau ; mélanger les oignons émincés avec 150 g de lard râpé, saupoudrer avec 1 cuillerée de farine et mouiller avec le bouillon. Renettoyer les tripes, les couper en morceaux de 4 cm sur 8 et les mettre dans une marmite avec les oignons et le bouillon. Saler, poivrer. Laisser cuire à couvert pendant 6 h. Hacher 50 g de lard, l'ail et le basilic et piler le tout au mortier. Retirer les morceaux de tripes et les disposer dans un plat ; passer le jus au tamis et le lier avec la pommade de basilic et les 4 jaunes d'œufs. Ne pas laisser bouillir ; recouvrir les tripes.

Foie de veau à la provençale

Préparation : 30 mn

Pour 6 personnes : 900 g de foie de veau, 4 oignons émincés, 1 bol de sauce tomate crue, 1 verre de vin rouge de Provence, 1 gousse d'ail hachée, 1 bouquet garni, huile d'olive, sel, poivre, vinaigre d'estragon.

Couper le foie en petites escalopes et les faire sauter dans une cuillerée d'huile ; saler et poivrer. Dans une autre poêle, faire réduire en une sauce épaisse les oignons émincés, la sauce tomate, le vin, l'ail haché, le bouquet garni avec 1 cuillerée de vinaigre. Ajouter le foie et laisser mijoter 5 mn.

Paupiettes provençales

Préparation : 1 h

Pour 4 personnes : 4 escalopes minces et larges, 50 g de beurre, 1 large barde de lard, 100 g d'olives vertes dénoyautées, sel, poivre, 100 g de pain rassis, 4 cuillerées de lait, 100 g de champignons, 1 gousse d'ail, persil haché.

Émietter le pain dans un bol et verser le lait dessus ; hacher les champignons avec 2 brins de persil et 1 gousse d'ail ; égoutter le pain et l'incorporer au mélange avec du sel et du poivre.

Répartir la farce sur les escalopes et les plier en quatre, les entourer de lard et les ficeler en croix.

Dans une cocotte avec 50 g de beurre bien chaud, faire dorer les paupiettes, saler et poivrer. Couvrir et laisser mijoter à feu doux pendant 30 mn.

Faire bouillir les olives 5 mn, les égoutter et les ajouter dans la cocotte. Laisser mijoter 15 mn et servir avec des tomates à la provençale.

Pieds-paquets à la marseillaise

Préparation : 4 h

Pour 4 personnes : 1,5 kg de tripes de mouton, 4 pieds de veau, 200 g de petit salé, 3 gousses d'ail, 2 verres de vin blanc, 3 cuillerées de coulis de tomates, clous de girofle, persil, sel, poivre, 1 verre de Cognac.

Nettoyer et dégraisser les tripes ; les détailler en triangles de 15 cm, les étaler sur la table, la peau à l'extérieur. Mettre sur chaque morceau un lardon de petit salé, 1 gousse d'ail, une branche de persil, du sel et du poivre. Rouler les paquets et les attacher. Nettoyer les pieds et les mettre au fond de la marmite avec les paquets dessus ; laisser cuire un moment et jeter l'eau rendue ; mouiller ensuite avec le vin blanc. Dès l'ébullition, baisser le feu et faire cuire doucement pendant 3 h, à couvert.

Au bout de 2 h, ajouter le coulis de tomates, quelques grains de poivre et 3 clous de girofle par tripe. En fin de cuisson, verser un verre de cognac.

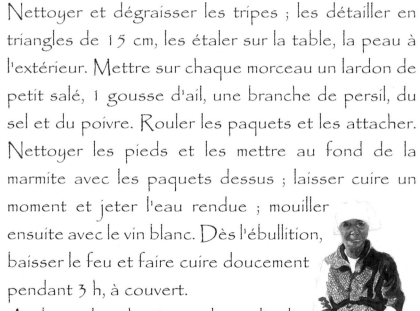

Caillettes de porc

Préparation : 1h

Pour 6 personnes : abats de porc (rognons, foie, cœur), 300 g de viande de porc, 100 g de lard, 1 morceau de crépine de porc, sel, poivre, épices, laurier, 1 gousse d'ail pilée.

Faire une farce avec le porc haché en mêlant tous les ingrédients coupés en lardons ; saler, poivrer, épicer ; ajouter l'ail et un peu de laurier. Mouiller la crépine de porc à l'eau chaude et la tendre sur la table ; disposer des boules de farce (comme une orange) et les envelopper de crépine. Faire cuire au four 3/4 h.

Côtes de porc truffées

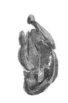

Prendre des côtes minces, les faire mariner quelques heures avec du sel, poivre et un verre de cognac ; étendre sur chaque côté de la chair à saucisse truffée, délayée au jaune d'œuf, mettre quelques lames de truffe et envelopper la côte de crépine en laissant l'os à découvert. Plonger les côtes dans des œufs battus assaisonnés, puis à la chapelure ; les faire frire à feu doux de part et d'autre.

Agneau de lait à la farigoule

Préparation : 30 mn

Pour 4 personnes : 1 gigot d'agneau de lait, 5 branches de thym, 3 gousses d'ail, 1 brin de serpolet, sel, poivre, huile d'olive.

Frotter le gigot avec les gousses d'ail et le badigeonner d'huile d'olive ; saler, poivrer et faire dorer dans une cocotte pendant 5 mn. Dans un autocuiseur, mettre de l'eau salée avec 3 branches de thym et porter à ébullition ; dans le panier, mettre 2 branches de thym et le gigot. Couvrir et laisser cuire le gigot à la vapeur de cette infusion ; retourner à mi-cuisson ; assaisonner et recouvrir de serpolet.

Le serpolet a les mêmes propriétés et utilisation que le thym mais il est plus raffiné.

Poulet sauté au basilic

Préparation : 1 h

Pour 4 personnes : 1 poulet en morceaux, 30 g de beurre, farine, 3 tomates, 1 gousse d'ail, 1/2 bouteille de vin blanc de Provence, basilic, bouquet garni, persil, sel, poivre, 125 g de champignons de Paris, 20 olives noires.

Faire dorer le poulet avec le beurre ; saupoudrer avec 1 cuillerée de farine ; mélanger et ajouter les tomates en morceaux, l'ail, quelques feuilles de basilic, le vin blanc, le bouquet garni ; saler et poivrer. Couvrir à moitié et laisser mijoter 30 mn.

Couper les champignons pelés en lamelles ; les ajouter dans la cocotte avec les olives et laisser cuire encore 15 mn ; retirer le bouquet garni. Parsemer de persil haché avant de servir.

Bouillabaisse de lapin à la provençale

Préparation : 1 h 30

Pour 6 personnes : 1 gros lapin coupé en morceaux, 4 oignons hachés, 10 gousses d'ail pilées, 4 tomates, 3 bulbes de fenouil, 8 pommes de terre épluchées, 2 petits verres de pastis de Marseille, sel, poivre, huile d'olive, 1 pincée de safran, 6 tranches de pain de campagne rassis, sauce rouille.

Dans une terrine, mélanger 1 verre d'huile, le pastis, le safran, du sel et du poivre ; y plonger les morceaux de lapin et laisser mariner plusieurs heures en retournant. Dans une cocotte, faire chauffer sur feu doux les oignons et l'ail avec un peu d'huile ; remuer. Ajouter les tomates pelées, épépinées et coupées en morceaux ; quand le tout est fondu, ajouter le lapin, la marinade et le fenouil. Recouvrir avec 2,5 l d'eau chaude; saler, couvrir et porter à ébullition. Faire bouillir 20 mn, ajouter les pommes de terre et laisser mijoter 30 mn. Délayer la rouille avec du jus de cuisson et mettre dans une saucière. Mettre les tranches de pain au fond d'une soupière, passer le bouillon dessus ; disposer le lapin dans un plat creux et entourer avec les rondelles de pommes de terre.

Daube de marcassin
à la Maurin des Maures

Préparation : 3 h

Pour 6 personnes : 2 kg de marcassin désossé, 200 g de couenne fraîche, 200 g de poitrine salée, 300 g de cèpes, 100 g de beurre salé, 6 oignons, 3 échalotes, 2 gousses d'ail, 2 carottes, 1 l de vin rouge, huile d'olive, sel, poivre, farine, sucre roux, 1 bouquet garni, 1 clou de girofle, croûtons.

Préparer une marinade avec le vin, les échalotes et 5 oignons hachés, le clou de girofle, les carottes émincées, les gousses d'ail pilées et le bouquet garni ; saler et poivrer. Ajouter les morceaux de marcassin, la couenne découpée et laisser mariner 24 h.

Égoutter le marcassin et le fariner. Le faire rissoler dans une cocotte avec 1 verre d'huile d'olive et un oignon haché ; passer la marinade au chinois et la verser dans la cocotte ; ajouter un morceau de sucre et le petit salé. Porter à feu vif 20 mn, couvrir et laisser cuire à feu réduit pendant encore 1 h 30. Faire revenir les champignons dans du beurre ; les ajouter dans la cocotte avant la fin de la cuisson, servir avec des croûtons de pain frit.

Daube de taureau

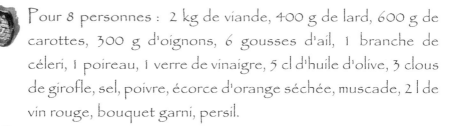

Pour 8 personnes : 2 kg de viande, 400 g de lard, 600 g de carottes, 300 g d'oignons, 6 gousses d'ail, 1 branche de céleri, 1 poireau, 1 verre de vinaigre, 5 cl d'huile d'olive, 3 clous de girofle, sel, poivre, écorce d'orange séchée, muscade, 2 l de vin rouge, bouquet garni, persil.

Éplucher et couper les carottes. Éplucher les oignons et y piquer un clou de girofle. Mettre le bouquet garni, le céleri et l'écorce d'orange, entourer le tout de vert de poireau et ficeler. Mettre à mariner quelques heures, dans le vin et le vinaigre. Saler, poivrer, ajouter la muscade. Laisser mariner 12h. Mettre la marinade à égoutter 1 h. Faire revenir le lard coupé en petits cubes et les oignons marinés coupés en quatre, dans l'huile d'olive. Lorsque le lard est fondu et avant coloration, ajouter la viande et les carottes. Faire dorer à feu vif 6 mn. Ajouter le reste de la marinade et laisser cuire sans couvrir 2 h à feu doux. Écumer. Après 2 h de cuisson, ajouter de l'eau afin que la viande reste toujours couverte. Couvrir et laisser cuire encore 1 h environ. Vérifier l'assaisonnement.

Poulet aux 40 gousses

Préparation : 2h

Pour 6 personnes : 1 gros poulet, 1 bouquet de thym, 40 gousses d'ail, 1 branche de romarin, 1 branche de céleri, 3 feuilles de sauge, 1 feuille de laurier, 1 bouquet de persil, 4 branches de thym, 6 tranches de pain grillées, sel, poivre, huile d'olive.

Saler, poivrer et introduire le thym à l'intérieur du poulet. Dans une cocotte huilée, mettre les gousses d'ail (avec leur peau) et les herbes ; poser le poulet dessus et le rouler. Souder le couvercle à l'aide d'un cordon de pâte fait avec 2 cuillerées de farine et 2 cuillerées d'eau. Mettre au four déjà chaud pendant 1 h 30. Soulever le couvercle sur la table au moment de servir et accompagner avec le pain tartiné avec les gousses d'ail.

Le romarin est un aromate puissant, dont les feuilles piquent la bouche; aussi l'utiliserons-nous avec parcimonie. Il convient aux viandes de mouton ou de porc.

Fromages
et
desserts

Lou cachât

Mettre dans un bocal au col large 1 gousse d'ail et 3 échalotes. Poser par dessus les fromages durs en intercalant des herbes de Provence : fenouil frais, romarin, estragon, thym. Glisser sur les côtés des baies de genièvre, 1 ou 2 piments rouges coupés en deux et épépinés, et 3 feuilles de laurier. Couvrir entièrement l'huile d'olive. Fermer le couvercle et laisser mariner au moins 1 mois.

Picodons grillés

Couper les fromages en deux ; faire griller des tranches de pain de campagne ; les arroser d'huile d'olive et disposer les fromages ; saupoudrer de thym, poivrer et faire griller.

Brous frais

A consommer nature ou en entremets, avec du sel et du poivre, avec du sucre, du miel, du rhum, de la fleur d'oranger, des fruits, des compotes ou confitures. En cuisine, on l'utilise en omelettes salées ou sucrées, dans des farces pour les tourtes.

Pâte à frire pour douceurs

Mélanger 10 cuillerées de farine, 3 jaunes d'œufs, 1 cuillerée d'huile d'olive, 1 verre de vin blanc sec de Provence, 1 pincée de sel. Monter les blancs d'œufs en neige et les incorporer délicatement à la pâte.

Beignets d'abricots ou de fruits

Choisir des abricots pas trop mûrs, les couper en deux et ôter les noyaux, les arroser de rhum, saupoudrer de sucre ; ajouter le zeste râpé d'un citron et laisser mariner pendant 1h. Passer chaque morceau dans la pâte à frire, les plonger dans la friture à l'huile, et les servir saupoudrés de sucre. Procéder de même avec les coings, mais les faire cuire à l'eau sucrée, et les épépiner. Pêches molles, pommes, prunes conviennent bien à cette recette.

Tarte tropézienne

Préparation : 1 h
Pour 6 personnes : 320 g de farine, 5 œufs, 120 g de beurre, 150 g de sucre en poudre, 50 g de sucre cristallisé, sucre glace, 10 g de levure de boulanger, 1/4 de l de lait, 1 gousse de vanille, sel.

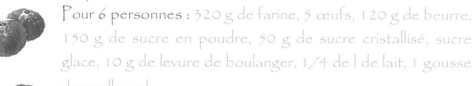

Délayer la levure dans un 1/2 verre d'eau tiède, mélanger avec 100 g de farine ; laisser reposer 2h, pour faire doubler de volume. Faire une fontaine dans 200 g de farine ; y mettre 2 œufs, 50 g de sucre en poudre, 1 pincée de sel et 60 g de beurre ramolli.

Travailler le tout, incorporer le levain ; pétrir longuement la pâte, la rouler en boule, la mettre dans une terrine, couvrir d'un linge et laisser reposer 2 h. Etaler la pâte au rouleau et foncer un moule beurré ; badigeonner le fond avec 1 jaune d'œuf, saupoudrer de sucre cristallisé ; mettre à four moyen (25 mn).

Faire bouillir le lait avec une gousse de vanille ; dans une terrine, mélanger 2 jaunes d'œufs, 100 g de sucre en poudre, 20 g de farine ; incorporer 50 g de beurre ramolli et travailler le tout ; verser le lait peu à peu en remuant au fouet. Verser la préparation dans une casserole et faire épaissir à feu doux quelques minutes en remuant ; laisser refroidir. Monter les blancs d'œufs en neige avec 1 pincée de sel et les incorporer à la crème, en mélangeant. Retirer la brioche du four, laisser refroidir et la couper en deux pour la garnir de crème. Saupoudrer de sucre glacé.

Tarte aux amandes

Émonder en ébouillantant 2 poignées d'amandes douces et quelques amandes amères, les piler dans un mortier en laissant tomber quelques gouttes d'eau. Dans une casserole, mettre 3 jaunes d'œufs, 3 pincées de sucre et 3 de farine; mélanger le tout et ajouter 3/4 d'un verre de lait porté à ébullition, mettre sur le feu en tournant pour l'épaissir ; retirer du feu et ajouter la pâte d'amande. Garnir un fond de tarte.

Melon glacé

Pour 4 personnes : 4 melons, 1 verre de vin de noix ou vin cuit, 3 blancs d'oeuf, 50 g de sucre glace.

Couper le chapeau des melons, ôter les graines et mettre les coques au congélateur. Vider la chair du melon et pulvériser au mixeur, monter les blancs en neige et rajouter le sucre glace. Tourner au fouet électrique en versant le vin. Incorporer doucement le tout à la chair pulvérisée. Garnir les coques, remettre les couvercles et réserver au congélateur au moins 4 heures ; sortir 30 mn avant de servir.

Navettes marseillaises

Pour 4 personnes : 500 g de farine, 275 g de sucre, 75 g de beurre, 3 oeufs, zestes d'oranges rapées, 20 cl d'eau, 15 cl d'eau de fleur d'oranger.

Dans un saladier, mélanger tous les ingrédients pour obtenir une pâte homogène. Laisser reposer 1 h au frais. Façonner des petites formes ovales fendues sur le dessus. Les placer sur du papier sulfurisé et cuire à 190 °. Une fois bien dorées, sortir les navettes du four et laisser refroidir.

Gâteau des Rois

Pour 4 personnes : 1 kg de farine, 150 g de sucre, 300 g de beurre, 6 œufs, 50 g de levure de boulanger, 20 g de sel, 75 g de fruits confits, 1 tasse d'eau de fleur d'oranger.

Faire le levain avec 150 g de farine, la levure et 85 g d'eau. Pétrir et laisser reposer 10 h à température ambiante. Mélanger la farine, le sucre et le sel, faire une fontaine et y casser les œufs, puis ajouter l'eau de fleurs d'oranger. Pétrir afin d'obtenir une pâte assez dure, puis ajouter le levain et pétrir à nouveau. Ajouter le beurre en pommade progressivement et les fruits confits en petits morceaux. La pâte doit être pétrie assez longtemps (arrêter lorsqu'elle se détache facilement du bol). Couvrir et laisser reposer toute une nuit au frais. Le lendemain matin, former 4 grosses boules, laisser encore reposer 2 h. Façonner des couronnes et les disposer sur une plaque à pâtisserie graissée. Laisser gonfler à température ambiante et à l'abri de l'air, jusqu'à ce que la pâte ait doublé de volume. Dorer avec un jaune d'œuf à l'aide d'un pinceau. Mettre 10 mn au four à 220 °, puis baisser à 200 °. Laisser cuire 5 mn. Décorer avec du sucre granulé et les fruits confits.

Pompe à l'huile

Pour environ 4 belles pompes : 250 g d'huile d'olive, 1 kg de farine, 250 g de miel, 60 g de levure de boulanger, 1 pincée de sel, 175 g d'eau de fleur d'oranger.

Préparer le levain 12 h avant : faire une fontaine avec 200 g de farine, émietter 30 g de levure et faire fondre avec 100 g d'eau ; laisser reposer à l'abri de l'air, (12 h, endroit tempéré). Avec le reste de la farine, faire une fontaine : émietter la levure restante, ajouter miel, huile et eau de fleurs d'oranger. Pétrir énergiquement 5 mn avant de mettre le sel. Pétrir 10 mn, ajouter le levain et pétrir encore 10 mn. Laisser reposer la pâte à l'abri de l'air, 1 h 30 à 2 h. Il faut qu'elle double de volume. Former 4 ou 5 boules, les mettre sur une plaque farinée et laisser reposer encore 1 à 2 h, il faut que la pâte double à nouveau. Aplatir légèrement chaque boule au rouleau à pâtisserie (2 à 3 cm d'épaisseur), faire des incisions géométriques avec un couteau ou avec une roulette. Laisser à nouveau gonfler la pâte, 1 h 30 à 2 h ; étaler du jaune d'œuf avec un pinceau. Mettre 10 mn à four très chaud (240°).

Les 13 desserts de Noël

Ils représentent les 12 apôtres et le Christ. Cette tradition de Provence recommande en plus des 13 desserts, de servir 13 assiettes de friandises, 12 qui versent les produits de la région, et la treizième, beaucoup plus belle, remplie de dattes.

On y retrouve le symbole de quatre ordres mendiants :

Les amandes pour les Carmes aux pieds nus
Les figues sèches pour les Franciscains
Les raisins secs pour les Dominicains
Les noix pour les Augustins

Les fruits frais :
Les mandarines
Le raisin de Noël
Les oranges (pour la richesse)

La pompe ou gibassier

Les dattes
Les noisettes
Le nougat, le nougat noir
Les calissons d'Aix
Les pâtes de fruits

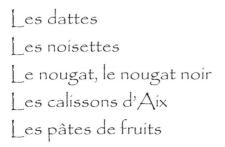

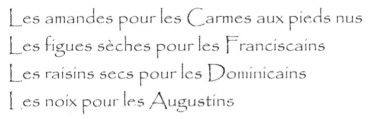

Index

Éditions Campanile
France Régions Éditions Diffusion
B.P. 29
06901 Sophia-Antipolis Cedex
Tél : 04 92 94 48 27 Fax : 04 92 94 48 28

http://www.diffusion-fred.com
email : contact@diffusion-fred.com

Groupe Forum Éditions
Techno Parc Epsilon
61 Rue Isaac Newton
83 700 Saint-Raphaël
Tél : 04 98 11 33 33 Fax : 04 98 11 38 20
email : leseditions@groupeforum.net

Photocomposition : Karima Amaray
Maquette et mise en page : Cassandra Lecomte
Corrections : Marie-Claude Coëffet

Imprimé en Provence par le Groupe Forum
© dépôt légal juin 2006

ISBN 2-912366-43-7 EAN 9782912366436